ゾラ ショートセレクション

猫の楽園

平岡 敦 訳　ヨシタケシンスケ 絵

理論社

アンジュリーヌ

Angeline

1

二年ほど前のこと、わたしはポワシー*からオルジュヴァル*へむかう人気《ひとけ》のない小道を自転車で走っていた。そのとき突然《とつぜん》、目の前の道路沿《ぞ》いに屋敷《やしき》があらわれた。わたしははっとして、もっとよく見ようと自転車から降《お》りた。どんよりと曇《くも》った十一月の空の下、枯葉《かれは》を舞《ま》い散らす寒風に吹《ふ》かれて、古木が並《なら》ぶ広い庭の真ん中にレンガ造《づく》りの家がたっている。さしたる特徴《とくちょう》もないのに、胸苦《むなぐる》しいまでに異様《いよう》な、寒々《さむざむ》しい印象を受けるのは、その屋敷が無残に打ち捨《す》てられ、荒《あ》れ放題になっているからだった。鉄柵《てっさく》の門扉《もんぴ》が片方《かたほう》はずれ、雨に洗《あら》われた大きな立て看板《かんばん》に売り家と書いてあるのを見て、わたしは不安に駆《か》られながらも好奇心《こうきしん》に負け、恐《おそ》る恐る庭に入った。

もう三、四十年も、ずっと空き家になっているらしく、軒蛇腹《コーニス》や縁取《ふちど》りのレンガはいく冬もの寒気で剥《は》がれ落ち、あとには苔《こけ》がびっしりと生えていた。建物はまだしっかりしているものの、長年手入れがされてないとあって、正面《ファサード》には早すぎるしわのように、いく筋《すじ》もの亀裂《きれつ》が走っている。下へと目をやれば、凍《こお》ってひびの入った玄関階段《げんかんかいだん》にイラクサやイバラが生い茂《しげ》り、まるで荒廃《こうはい》と死へ通じる入り口のようだ。とりわけ恐ろしく、もの悲しい雰囲気《ふんいき》を醸《かも》しているのは、カーテンがはずされてむき出しになった、深緑色の窓《まど》だった。いたずら小僧《こぞう》どもが石を投げたのだろう、ガラスはことごとく割《わ》れ、がらんとした陰気《いんき》な部屋がまる見えだ。それは死んだあとも大きくひらいたままの、濁《にご》った虚《うつ》ろな目のようだった。屋敷を取り囲む広い庭も、荒れ果てていた。ぼうぼうに伸《の》びた草の下に、花壇《かだん》の跡《あと》がかろうじて残っている。見捨《みす》てられた墓地《ぼち》に茂る野生植物のように、草木が散歩道を貪《むさぼ》りつくし、植えこみは原生林さながらだった。そこに樹齢《じゅれい》百年になろうかという大木が、じめつく

＊パリ西部の町

影《かげ》をおとしている。その日、秋の風は悲しげなうめき声をあげながら、最後に残った木の葉を散らしていた。

わたしはそこかしこから湧《わ》きあがる絶望《ぜつぼう》の嘆《なげ》きに包まれ、しばらく茫然《ぼうぜん》とたたずんでいた。漠《ばく》とした恐怖《きょうふ》で胸《むね》が騒《さわ》ぎ、不安はいっそう高まった。それでもわたしは哀《あわ》れみを催《もよお》し、じっととどまった。あたりに立ちこめる悲しみと苦痛《くつう》の源《みなもと》をとらえ、理解《りかい》したかった。そろそろ立ち去ろうかと思ったとき、街道のむこう側、道が二股《ふたまた》に分かれているあたりに、宿屋らしいボロ家が見えた。飲み物でも出しているのだろう。わたしは地元の人間に話を聞こうと、入ってみることにした。

なかには、老婆《ろうば》がひとりいるだけだった。彼女《かのじょ》はぶつくさこぼしながら、ビールを運んできた。こんな人里離《はな》れた道沿《ぞ》いに店をかまえたって、自転車乗りが一日にふたりも通ればいいほうだと嘆くことしきりだった。くどくどと続く話によると、トゥーサン婆《ばあ》さん（というのが彼女の名前だった）は夫とヴェルノンからやって来て、この宿屋を始めたのだという。最初はまずまず順調だったけれど、夫が死んでからこっち、商売は傾《かたむ》くいっぽうだった。さんざん愚痴《ぐち》を聞かされたあと、わたしは隣《となり》の屋敷《やしき》についてたずねた。するとトゥーサン婆さんは急に身がまえて、用心深げにわたしを見た。まるでわたしが、恐《おそ》ろしい秘密《ひみつ》を聞き出そうとしているかのように。

「ああ、あの荒《あ》れ屋敷。ここいらじゃ、幽霊《ゆうれい》が出るなんて噂《うわさ》していますがね……。あたしはなんにも知らないんですよ。ずっと昔の話ですから。今度の復活祭《ふっかつさい》で、あたしもかれこれ三十年、ここに暮《く》らしていることになりますが、四十年も前の出来事だそうで。あたしと主人が移《うつ》り住んできたときには、すでに屋敷は見てのとおりのありさまでした……。いく夏、いく冬がすぎてもあのまんま、ときおり石が剥《は》がれ落ちるくらいなもので」

「でも、どうして買い手がつかないんです？　だって、売り家なんでしょう？」とわたしはたずねた。

「さあ、なぜなのか。わかりませんね……。いろんなことが、言われてますけど」

どうやらわたしは、婆《ばあ》さんの警戒心《けいかいしん》を解《と》くことができたらしい。それに婆さん自身、いろんなことをやらを教えたくてうずうずしていたのだろう。隣村《となりむら》の娘《むすめ》っ子は誰《だれ》ひとり、日が暮《く》れると荒《あ》れ屋敷《やしき》に入ろうとしないのだと語り始めた。迷《まよ》える哀《あわ》れな魂《たましい》が、夜ごとあの屋敷に戻《もど》ってくるからと。いまだにそんな話がパリの近くでも信じられているのかと、わたしがびっくりするのを見て、婆さんは肩《かた》をすくめた。初めのうちこそ気丈《きじょう》なようすだったが、しだいに恐々《こわごわ》とした口ぶりに変わった。

「でも、本当のことですから。どうして買い手がつかないのかって、たずねましたよね。あの屋敷を買いたいって人は、たくさんいたんですよ。でもみんな、見に来るが早いか、逃《に》げ出すように帰ってしまい、もうそれっきりです。ええ、嘘《うそ》じゃありません。誰かが屋敷のなかに入ろうとすると、決まっておかしなことが起こるんです。まるで突風《とっぷう》が吹《ふ》いたみたいにドアが激《はげ》しく揺《ゆ》れ、ひとりでにばたんと閉《し》まったり、地下室から叫《さけ》び声やうめき声、すすり泣きが聞こえてきたりと。それでも闖《ちん》入者《にゅうしゃ》が居《い》すわろうとすると、『アンジュリーヌ、アンジュリーヌ、アンジュリーヌ』

と悲痛《ひつう》な呼《よ》び声が響《ひび》いてきます。背筋《せすじ》が凍《こお》りつくような、苦しみに満ちた呼び声が……。誰に訊《き》いてもかまいません。そうだ、そのとおりだって、みんな言ってくれますとも」

　正直、わたしはこの話に引きこまれ、ぞくっと鳥肌《とりはだ》が立った。

「そのアンジュリーヌっていうのは、いったい何者なんですか？」

「ああ、それを話すと長くなりますよ。だいいち、あたしはなんにも知らないし」

　そう言いながらも、結局婆さんはみんな話してくれた。四十年前、第二帝政《ていせい》が栄《えい》華《が》を極めていた一八五八年ごろのこと、チュイルリ宮で要職《ようしょく》に就《つ》いているG氏という人物がいた。彼《かれ》には亡《な》くなったばかりの妻《つま》とのあいだに、十歳《さい》になる娘アンジュリーヌがいた。母親に生き写しの、目を見はるほど美しい娘だった。二年後、G氏は某将軍《ぼうしょうぐん》の未亡人《みぼうじん》で、これまた美貌《びぼう》で名高い女性《じょせい》と再婚《さいこん》をした。そして二度目の婚《こん》礼《れい》が執《と》り行われるや、アンジュリーヌと継母《ままはは》は互《たが》いに激しい嫉妬《しっと》の炎《ほのお》を燃《も》えあがらせたのだという。かたや実の母親がこんなにも早く忘《わす》れ去られ、見知らぬ女がずけずけと家に入りこんできたことに傷心《しょうしん》し、かたや消し去りがたい前妻《ぜんさい》の影《かげ》におびえ、彼女《かのじょ》とそっくりの娘《むすめ》を絶《た》えず目の前にして、不安でいっぱいになっていた。荒《あ》れ屋敷《やしき》は当時、新たなG夫人の持ち物だったが、ある晩《ばん》、父親が娘に熱烈《ねつれつ》なキスをしているのを見て、継母《ままはは》は嫉妬《しっと》のあまり我《われ》を忘《わす》れ、彼女を力いっぱい打ちすえたのだった。哀《あわ》れなアンジュリーヌは倒《たお》れて首を折り、息絶えてしまった。

それからの展開《てんかい》は、身の毛もよだつようなものだった。取り乱《みだ》した父親は妻《つま》の犯《はん》行《こう》をかばおうと、遺体《いたい》を自らの手で屋敷の地下室に埋《う》めた。娘は叔母《おば》の家に預《あず》けてあると人には言っていたものの、その実遺体はずっとそこに隠《かく》されていた。ところがある日、犬がうなり声をあげて、地下室の床《ゆか》を引っ掻《か》いたところから、とうとう事件《じけん》が発覚した。チュイルリ宮は大慌《あわ》てで、このスキャンダルをもみ消した。G夫《ふ》妻《さい》はすでに亡《な》くなって久《ひさ》しいが、いまでもアンジュリーヌは悲しげな呼《よ》び声に誘《さそ》われ、謎《なぞ》めいた闇《やみ》の彼方《かなた》から戻《もど》ってくるのだという。

「誰《だれ》にでも訊《き》いてくださいな。でたらめなんかじゃないって、言ってくれますから」

とトゥーサン婆《ばあ》さんは締《し》めくくった。「正真正銘《しょうしんしょうめい》、本当のことです。二たす二が四になるようにね」

突拍子《とっぴょうし》もない話だと、わたしはしばし唖然《あぜん》としたけれど、痛《いた》ましくも奇怪《きかい》な惨劇《さんげき》に強く心奪《うば》われた。G氏の名前は聞いたことがある。たしかに再婚《さいこん》ののち、家庭内にもめ事があって、私生活《しせいかつ》は恵《めぐ》まれなかったようだ。するとこれは実話なのだろうか？　なんとも哀れで悲惨《ひさん》な物語ではないか。理性《りせい》を失うほど激《はげ》しい情念《じょうねん》の高ぶり。かっとなった末とはいえ、稀《まれ》にみる恐《おそ》ろしい犯罪《はんざい》だ。皆《みな》に愛された、輝《かがや》くように美しい娘が継母に殺され、父親の手で地下室の片隅《かたすみ》に埋められるなんて、聞くだに恐ろしく、胸《むね》を揺《ゆ》さぶられる。やはりこれは作り話ではないか？　もっと婆さんにたずね、たしかめてみようかと思ったが、すぐに気が変わった。そんなことをして、何になる？　人々《ひとびと》の想像《そうぞう》のなかに花開いたこの怪談《かいだん》を、そのまま受け取ればいいのでは？

わたしは自転車にまたがると、最後にもう一度荒れ屋敷を見やった。日が暮《く》れようとしている。屋敷《やしき》は苦しみ悶《もだ》えながら、死体の目にも似《に》た暗い虚《うつ》ろな窓《まど》でわたしを見つめ返した。古木の茂《しげ》みに秋の風が吹《ふ》きつけ、ひゅうひゅうとすすり泣いていた。

2

この話はなぜかわたしの脳裏《のうり》に焼きつき、片時《かたとき》も忘《わす》れられない強迫《きょうはく》観念となった。それは人間の精神《せいしん》に潜《ひそ》む、解決《かいけつ》しがたい問題のひとつだ。あんな類の言い伝えは、田舎《いなか》に行けばいくらでもある。そもそもわたしにとって、なんの関わりもない話じゃないか。いくらそう自分に言い聞かせようと、それでもやはり死んだ少女はわたしに取りついて離《はな》れなかった。悲惨《ひさん》な最期をとげた、かわいらしいアンジュリーヌ。この四十年間、打ち捨《す》てられた屋敷のがらんとした部屋のむこうから、夜ごと悲痛《ひつう》な声が彼女《かのじょ》に呼《よ》びかけている。

冬に入った最初の二か月間、わたしはいろいろと調べてみた。少女が行方不明になるという劇的《げきてき》な事件《じけん》が少しでも外に漏《も》れれば、当時の新聞が記事にしているはずだ。そこで国立図書館の所蔵資料《しょぞうしりょう》を漁ってみたものの、空ぶりに終わった。そんな事件には、一行も触《ふ》れていない。次にわたしは当時を知る人々《ひとびと》や、チュイルリ宮の関係者にたずねてみたけれど、言う人ごとに話は食い違《ちが》っていて、はっきりとした答えは得られなかった。なんとか謎《なぞ》を解《と》きたいという思いに絶《た》えず苛《さいな》まれながらも、もう真実はわからないのだとあきらめかけていたころ、ある朝、偶然《ぐうぜん》に新たな手がかりがつかめた。

わたしは二、三週間に一度、敬愛《けいあい》する仕事仲間の老詩人V氏のもとを、見舞《みま》いがてら訪《おとず》れていた。彼《かれ》は何年も前から足を悪くして、ひじ掛《か》け椅子《いす》にすわりっぱなしの生活を送っていた。リュクサンブール公園にむかって窓がひらいた、アサス通りの小さな書斎《しょさい》。彼はそこを理想の宮殿《きゅうでん》と定め、超然《ちょうぜん》とした愛と苦悩《くのう》に浸《ひた》り、空想の世界に遊ぶ、夢《ゆめ》のような一生を静かに終えようとしていた。そしてとうとう去年の四月、七十歳《さい》を前にして亡《な》くなったのだった。わたしたちは誰《だれ》もが、彼《かれ》のにこやかで繊細《せんさい》そうな顔つきや、子供《こども》みたいにくるくると巻《ま》いた白髪《しらが》、無垢《むく》な若者《わかもの》の面影《おもかげ》を残す薄《うす》いブルーの目を覚えているだろう。嘘《うそ》つきというわけではないけれど、しょっちゅう作り話ばかりしているので、彼《かれ》にとってどこまでが現実《げんじつ》で、どこからが夢《む》想《そう》なのか判然《はんぜん》としないほどだった。長年、浮世離《うきよばな》れした暮《く》らしを続けている老人と話をしていると、いままで知らなかったことがそれとなく明かされるような驚《おどろ》きがあった。

というわけで、わたしはその日、暖炉《だんろ》がいつでも暖《あたた》かく燃《も》えている、こぢんまりとした部屋の窓辺《まどべ》で、老詩人とおしゃべりをしていた。外は凍《こご》える寒さだった。リュクサンブール公園は雪に覆《おお》われ、染《し》みひとつない銀世界が果てしなく広がっている。どんなきっかけだったか、わたしは荒《あ》れ屋敷《やしき》のことを語り始めた。あの話がまだ気になってしかたなかった。父親の再婚《さいこん》、前妻《ぜんさい》に生き写しの娘《むすめ》に嫉妬《しっと》する継母《ままはは》、地下室の片隅《かたすみ》に埋《う》められた少女。老詩人は悲しみのなかでも絶《た》やさない穏《おだ》やかな笑みを浮《う》かべて、わたしの話を聞いていた。沈黙《ちんもく》が訪《おとず》れると、彼は遥《はる》か彼方《かなた》を眺《なが》めるように、薄青色《うすあおいろ》の目をリュクサンブール公園の広大な雪景色にむけた。体の奥《おく》から微《かす》かな夢《ゆめ》の影《かげ》がゆらゆらと立ちのぼり、彼を包んでいるかのようだった。

「G氏ならよく知っている」と老詩人は静かに話し出した。「最初の奥さんにも会ったことがあるけれど、人なみはずれて美しかったな。二番目の奥さんだって、それに劣《おと》らぬすばらしい美人だった。口にこそしなかったが、わたしもあのふたりが大好きだったよ。おまけにアンジュリーヌときたら、誰《だれ》もがひれ伏《ふ》し、いくら賞賛《しょうさん》してもしきれないほどの美しさで……。けれども、ことの次第はきみの話とはまったく違《ちが》うんだ」

そう言われて、わたしは気持ちが高ぶった。それではあきらめかけていた、思いがけない真実が明かされることになるのだろうか？　最初、わたしは怪《あや》しむこともなく、彼にこう言った。

「ああ、それはありがたい。ようやくこれで、哀《あわ》れなこの頭もやっと悩《なや》みから解放《かいほう》されますよ。さあ、早く話して。すべてを聞かせてください」

しかし老詩人はわたしの声など聞こえないかのように、ぼんやりと遠くを見つめている。それから彼《かれ》は夢見《ゆめみ》るような声で、話し始めた。まるで人も出来事も、しゃべりながらその場で作りあげているかのように。

「アンジュリーヌは当時十二歳《さい》。けれどもすでにその胸《むね》には、愛の喜びと苦しみに揺《ゆ》れる女心が芽生えていた。嫉妬《しっと》したのは、あの子のほうだったのさ。父親が新しい妻《つま》を抱《だ》きしめるのを、毎日見させられていたんだから。アンジュリーヌにはそれが耐《た》えがたかった。ひどい裏切《うらぎ》りだと思っていた。父親と新たな妻が侮辱《ぶじょく》しているのは、もはや母親だけではない。胸が引き裂《さ》かれるような苦しみに耐えている自分自身も、ないがしろにされているのだと感じていた。夜ごとアンジュリーヌは、母親が墓《はか》から呼《よ》びかけてくる声を聞いた。そしてある晩《ばん》、哀惜《あいせき》の念に耐えきれず、死んだ母親のもとへ行こうと、十二歳の娘《むすめ》は自ら心臓《しんぞう》にナイフを突《つ》き刺《さ》したんだ」

わたしは思わず叫《さけ》び声をあげた。

「なんですって！　まさか、そんな？」

「いやまったく」と彼はわたしの言葉を無視《むし》して続けた。「翌日《よくじつ》、小さなベッドに横たわるアンジュリーヌを見つけたとき、G夫妻《ふさい》はどんなに驚《おどろ》き、震《ふる》えあがったことか。少女の胸にはナイフが柄《え》のところまで刺さっていたのだから。夫妻はイタリアに発とうとしていたところで、屋敷《やしき》にはアンジュリーヌの世話をしている年老いた小間使いしかいなかった。夫妻は娘を殺したのではないかと疑《うたが》われるのを恐《おそ》れ、小間使いに手伝わせて小さな亡骸《なきがら》を本当に埋《う》めたんだ。でも地下室ではなく、屋敷の裏《うら》にあった温室の脇《わき》、大きなオレンジの木の根元にね。夫妻が亡《な》くなると、老小間使いはこの話を告白した。そして地面を掘《ほ》り返したところ、たしかに遺体《いたい》が見つかったそうだ」

さまざまな疑問《ぎもん》が脳裏《のうり》をよぎった。もしかして、老詩人にかつがれているんじゃないだろうか？　わたしは不安になって、彼の顔をじっと見た。

「それじゃあ」とわたしはたずねた。「アンジュリーヌは、彼女《かのじょ》を呼ぶ謎《なぞ》めいた悲痛《つう》な叫び声に応《こた》えて、毎夜戻《もど》ってくるのだと信じているんですか？」

今度は彼《かれ》もわたしを見て、寛大《かんだい》そうなようすでまた笑顔になった。

「戻《もど》ってくるとも。ああ、みんな戻ってくる。死んだ少女の魂《たましい》は、彼女《かのじょ》が愛し苦しんだ場所にいまでも残っていると思わないかね？　アンジュリーヌを呼《よ》ぶ声がするのは、彼女がまだ生まれ変わっていないからだ。そうとも、嘘《うそ》じゃない、人は何度でも生まれ変わる。すべてがまた始まる。なにも失われはしないんだ。愛も、美しさも……。アンジュリーヌ、アンジュリーヌ、アンジュリーヌ。あの子もいつか、陽光と花のなかによみがえるだろう」

結局、わたしのなかには確信《かくしん》も生じなければ、平穏《へいおん》も訪《おとず》れなかった。いまだ子供《こども》のような心を持ち続けている友人の老詩人は、わたしにさらなる混乱《こんらん》をもたらしただけだった。きっといつもの作り話なんだろう。けれども予言者のように、彼は真実を見抜《みぬ》いているのかもしれない。

「本当なんですか、そのお話は？」わたしは笑いながらたずねてみた。

すると彼のほうも、なんだか嬉《うれ》しそうに答えた。

「そりゃ、もちろん本当さ。無限《むげん》こそ真実じゃないかね？」

彼に会ったのは、それが最後となった。わたしはしばらくして、パリを離《はな》れねばならなくなったから。リュクサンブール公園を真っ白に包んだ雪を眺《なが》めながら、限《かぎ》りない夢《ゆめ》を信じてそっともの思いにふける老詩人の姿《すがた》が、いまでも目に浮《う》かぶようだ。そしてわたしのほうは、いつまでたっても捉《とら》えどころのない真実を、なんとかしっかり見定めたいという思いに苛《さいな》まれていた。

3

さらに一年半がすぎた。わたしは旅から旅の生活を余儀《よぎ》なくされていた。誰《だれ》をも皆《みな》、未知の世界へと押《お》し流す嵐《あらし》のなかで、わが人生は次々《つぎつぎ》に訪れる不安と喜びの連続だった。それでもときおり、ふと気づくと、遥《はる》か彼方《かなた》から悲しげな叫《さけ》び声がわたしの耳もとまで聞こえてくる。「アンジュリーヌ、アンジュリーヌ、アンジュリーヌ」

と。そしてわたしは疑念《ぎねん》に捕《と》らわれ、真実を知りたくてたまらずただ震《ふる》え続けるのだった。どうしても忘《わす》れることができない。わたしには曖昧《あいまい》な状態《じょうたい》ほど、つらいものはなかった。

どんなきっかけだったろうか、わたしはとある六月の心地よい夕暮《ゆうぐ》れどき、荒《あ》れ屋敷《やしき》にむかう田舎道《いなかみち》を自転車で走っていた。あの屋敷を、どうしてももう一度見たくなったのかもしれない。それともなにか予感がして、本街道を逸《そ》れて屋敷のほうへむかっただけだったのかも。すでに八時近かったけれど、一年でいちばん日の長いこの時期、雲ひとつない空は暮《く》れなずむ太陽の明々《あかあか》とした光で、どこまでも青く、そして金色に輝《かがや》いていた。そよ風がやさしく頬《ほほ》を撫《な》で、木々《きぎ》や牧草地のうっとりするような香《かお》りを運んでくる。広々《ひろびろ》とした野原はなんと穏《おだ》やかな歓喜《かんき》に包まれていたことか。

初めて来たときと同じく、わたしは荒れ屋敷の前で、驚《おどろ》きのあまりあわてて自転車から降《お》りた。そして一瞬《いっしゅん》、ためらった。屋敷も庭も、前とは一変していた。真新しいきれいな鉄柵《てっさく》が、夕日を受けてきらきらと光っている。周囲の塀《へい》は立てなおされ、立ち木のあいだからわずかに見える屋敷も、陽気でにこやかな若《わか》さを取り戻《もど》したかのようだった。するとこれが、老詩人の言っていた復活《ふっかつ》なのだろうか？　アンジュリーヌは遠い呼《よ》びかけに応《こた》えて、よみがえったのだろうか？

　屋敷を眺《なが》めながら呆気《あっけ》にとられて立ちすくんでいると、ゆっくりと歩く足音がすぐ近くから聞こえ、わたしは思わず身震《みぶる》いした。それは近くの牧草地から牛を連れ帰るトゥーサン婆《ばあ》さんだった。

「どうやら新しい住人は、恐《おそ》ろしい目に遭《あ》わなかったようですね」わたしはそう言って、屋敷を指さした。

　婆さんはわたしだと気づき、牛を止まらせた。

「あらまあ、いつぞやの。たしかに世の中には、怖《こわ》いもの知らずがいるものですよ。屋敷に買い手がついて、一年以上になりますがね。なんでも、Bさんとかいう絵描《えか》きだそうで、その方がこんなふうにしたんです。芸術家《げいじゅつか》っていうのは、どんなことでもやってのけますから」

婆《ばあ》さんは牛をまた歩かせ始めると、うなずきながらこうつけ加えた。

「でもまあ、この先、どうなることやら」

B氏といえばパリに暮らすにこやかな女たちの絵を得意とする、繊細《せんさい》で才能豊《さいのうゆた》かな画家だった。お互《たが》い顔と名前くらいは知っていて、劇場《げきじょう》や展覧会場《てんらんかいじょう》などどこかで会えば、握手《あくしゅ》を交わす仲だった。突然《とつぜん》、わたしはどうしてもなかに入りたくてたまらなくなった。彼《かれ》にわが胸《むね》の内を打ち明け、この屋敷《やしき》について真実を知っているならぜひ教えて欲《ほ》しい、わからないままでいるのは耐《た》えきれないのだと言わずにはおれなくなった。わたしは後先《あとさき》のことを考えず、古木の苔《こけ》むした幹《みき》のところまで自転車を走らせた。自転車に乗るための気取らない、埃《ほこり》まみれの服装《ふくそう》だったけれど、そうした礼儀《れいぎ》も緩《ゆる》やかになり始めたことだし、あまり気にしなくてもいいだろう。鉄《てっ》柵《さく》に取りつけたゼンマイ仕掛《じか》けの呼《よ》び鈴《りん》が澄《す》んだ音を響《ひび》かせると、召使《めしつか》いがやって来た。わたしは名刺《めいし》を差し出し、しばらく庭で待つことにした。

周囲を見まわして、わたしの驚《おどろ》きはいや増《ま》した。建物の正面《ファサード》は修復《しゅうふく》され、ひび割《わ》れ一本、剥《は》がれたレンガひとつない。バラの蔓《つる》が絡《から》まる玄関《げんかん》前の階段《かいだん》は、来客を陽気に迎《むか》え入れている。窓《まど》は生き生きと笑いかけ、白いカーテンの内側に息づく喜びを物語っていた。庭にはびこっていたイラクサやイバラは取り払《はら》われ、復活《ふっかつ》した花壇《かだん》はまるで大きな花束のようだ。古い木々《きぎ》も金色に輝《かがや》く春の日差しを浴び、ひさしぶりに続く平和のなかで若返《わかがえ》っていた。

再《ふたた》び召使いがやって来て、客間に案内してくれた。旦那《だんな》様は隣村《となりむら》へ出かけていますが、ほどなくお帰りになるでしょう、と召使いは言った。わたしは何時間でも待つつもりだった。暇《ひま》つぶしに、まずはいまいる部屋をじっくり眺《なが》めることにした。分厚《ぶあつ》いカーペット。クレトン地のカーテンに仕切り幕《まく》。ゆったりした長椅子《いす》や、ふかふかとしたひじ掛《か》け椅子が並《なら》んでいる。やがてあたりは、ほとんど真っ暗になった。あとどのくらい待てばいいのだろう。わたしのことなど忘《わす》れてしまったのか、ランプさえ持ってこない。わたしは闇《やみ》のなかに腰《こし》かけたまま、ぼんやりと夢想《むそう》にふけりながら、悲劇《ひげき》的な物語の一部始終を脳裏《のうり》によみがえらせた。アンジュリーヌは殺されたのだろうか？　それとも、自らナイフを心臓《しんぞう》の真ん中に突《つ》き立てたのか？　正直に告白するが、わたしは再《ふたた》び暗くなったこの幽霊屋敷《ゆうれいやしき》にいるのが恐《おそ》ろしくなった。初めは漠然《ばくぜん》とした不安感、肌《はだ》の微《かす》かなざわつきにすぎなかった。けれどもそれが少しずつ激《はげ》しさを増《ま》し、ついには全身が凍《こお》りつくような、並《なみ》はずれた恐怖《きょうふ》と化した。

　どこからともなく、くぐもったもの音が聞こえてくるようだ。どうやら地下室の奥《おく》らしい。にぶいうめき声、押《お》し殺したすすり泣き、謎《なぞ》めいた重い足音が、だんだん下から近づき、やがて暗い屋敷じゅうが、怖気《おぞけ》をふるう悲しみでいっぱいになった。とそのとき、突然《とつぜん》ぞっとするような呼《よ》び声が響《ひび》いた。「アンジュリーヌ、アンジュリーヌ、アンジュリーヌ」と。声はしだいに大きくなり、冷たい吐息《といき》が顔に吹《ふ》きかかるのが感じられるかと思うほどだった。客間のドアがばたんとあき、少女が入ってきた。わたしのほうには目もくれず、部屋を横ぎっていく。明かりの灯った玄関《げんかん》ホールの光が、ひらいたままのドアから射《さ》しこみ、その姿《すがた》がはっきりと見えた。死んだはずの十二歳《さい》の少女。鮮《あざ》やかな金髪《きんぱつ》を肩《かた》まで伸《の》ばし、まさしくこの世ならぬ美しさだ。純白《じゅんぱく》の服は、彼女《かのじょ》が夜ごと抜《ぬ》け出してくる土の色を思わせた。アンジュリーヌはなにも言わず、ただ無我夢中《むがむちゅう》で部屋を駆《か》け抜けると、反対側のドアから姿を消した。そのあいだにも新たな呼び声が、「アンジュリーヌ、アンジュリーヌ、アンジュリーヌ」と、さらに遠くから響いた。わたしは額《ひたい》に冷や汗《あせ》をにじませ、立ちすくんでいた。謎めいた遠い世界から吹き抜ける恐怖の風にあおられ、全身が総毛《そうけ》だった。

その直後だったろうか、召使《めしつか》いがようやくランプを持ってきた。ふと気づくと、画家のB氏がそこにいて、長いことお待たせして申しわけないと謝《あやま》りながら、わたしの手を握《にぎ》ろうとしていた。わたしは強がって見せる余裕《よゆう》もなく、まだぶるぶると震《ふる》えながら、これまでのいきさつを話して聞かせた。B氏も初めはびっくりしたように耳を傾《かたむ》けていたが、早くわたしを安心させなくてはとばかりに、にっこり笑ってこう言った。

「ご存《ぞん》じなかったでしょうが、G氏の後添《のちぞ》いとなったのはぼくのいとこなんです。ああ、気の毒に。あの娘《むすめ》を殺したと噂《うわさ》されるなんて。本当は、とてもかわいがっていたんですよ。娘が死んだときには、父親に劣《おと》らず涙《なみだ》に暮《く》れていたほどに。哀《あわ》れな娘がここで死んだのは、たしかに間違《まちが》いありません。けれども自ら胸《むね》を突《つ》き刺《さ》したのではなく、突然《とつぜん》の高熱で息絶《た》えたのです。あまりに急なことだったので、G夫《ふ》妻《さい》はこの屋敷《やしき》を忌《い》み嫌《きら》い、決して戻《もど》ろうとしませんでした。だからこそ、ふたりが健在《けんざい》だったころからずっと空き家だったんです。夫妻が亡《な》くなると、相続をめぐってえんえんと裁判《さいばん》が続き、売るに売れませんでした。ぼくはここを手に入れたくて、ずっとチャンスをうかがっていたんです。それに幽霊《ゆうれい》なんか、一度も出たことありません。ええ、間違いありません」

わたしはまたしても小さく身震《みぶる》いし、口ごもるように言った。

「でも、たったいましがた、ここで見たんですよ。アンジュリーヌを……。恐《おそ》ろしい呼《よ》び声に応《こた》えて、姿《すがた》をあらわしたんです。この部屋を横ぎっていきました。すぐ目の前を通って」

画家はわたしが正気をなくしたと思ったらしく、怯《おび》えたようにじっとこちらを見すえた。それから突然、屈託《くったく》のない高笑いを始めた。

「ああ、あなたがご覧《らん》になったのは、ぼくの娘ですよ。G氏に名づけ親になってもらったんです。彼《かれ》はわが子の思い出に、アンジュリーヌという名を選びました。さっきは妻《つま》が呼んだのでしょう。それで娘はこの部屋を通り抜《ぬ》けたんです」

彼はそう言ってドアをあけ、自分でも呼びかけた。「アンジュリーヌ、アンジュリーヌ」と。

少女が戻ってきた。明るく陽気で、生き生きとした少女が。たしかに彼女《かのじょ》だ。白い服、肩《かた》にかかる鮮《あざ》やかな金髪《きんぱつ》。美しさに輝《かがや》くその顔は、満ち足りた愛と長い幸福な人生を約束する春を思わせた。

ああ、なんてかわいらしい亡霊《ぼうれい》なんだ。死んだ少女は新たな少女に生まれ変わり、死は打ち倒《たお》された。わが友たる老詩人V氏の言ったとおりだ。なにも失われない。美も愛も、すべてがまた始まる。母親たちの声が娘《むすめ》を呼《よ》んでいる。いまはまだあどけない少女だが、いつか恋《こい》もするだろう。そして花が咲《さ》き乱《みだ》れる陽だまりのなかでよみがえる。この屋敷《やしき》が待っていたのは幽霊《ゆうれい》の出現《しゅつげん》ではなく、少女の目覚めだった。そして、屋敷は若《わか》さと幸福を取り戻《もど》した。永久《とわ》の命を宿す歓喜《かんき》が、再《ふたた》び湧《わ》き立つなかで。

広告の犠《ぎ》牲《せい》者《しゃ》

Une victime de la réclame

わたしの知り合いに、気のいいひとりの青年がいた。彼《かれ》は去年亡《な》くなったが、その一生は受難《じゅなん》の連続だった。

青年の名はクロード。彼は物心つくなり、こう思い定めた。「ぼくの人生設計《せっけい》は、すっかりできあがっている。この時代が与《あた》えてくれる恩恵《おんけい》に、ただ従《したが》っていればいい。進歩とともに歩み、幸福な暮《く》らしを送るには、日夜新聞やポスターに目をとおし、すばらしいガイドが勧《すす》めるとおりにしていれば、それで充分《じゅうぶん》だ。真の英知はそこにある。それこそが至福《しふく》の源《みなもと》なんだ」と。その日以来、クロードは新聞やポスターの広告を人生の規範《きはん》とし、広告が何事につけ彼の決定をうながす、絶対《ぜったい》的な先《せん》導者《どうしゃ》となった。彼は広告が声を大にして推薦《すいせん》するもの以外なにも買わず、ほかのものにはいっさい手を出そうとしなかった。

かくしてこの不幸な男は、紛《まぎ》れもない地獄《じごく》を体験することになったのである。

＊

クロードが手に入れた土地には土が盛《も》ってあり、家を建てるならまずその前に、地盤《じばん》を固めるための杭《くい》を打たねばならなかった。最新工法だとかいう家は、風が吹《ふ》くと大きく揺《ゆ》れ、嵐《あらし》でも来ようものなら、いまにもばらばらになりそうだった。

家のなかにはこれまた創意《そうい》に富《と》んだ排煙装置《はいえんそうち》つきの暖炉《だんろ》が控《ひか》えていて、もくもくとあがる煙《けむり》で人々《ひとびと》を窒息《ちっそく》させかけた。電気仕掛《じか》けの呼《よ》び鈴《りん》はかたくなに沈黙《ちんもく》を守り、最高級モデルのトイレは身の毛もよだつ汚水溜《おすいだ》めと化した。戸棚《とだな》はと言えば、なにやら特殊《とくしゅ》な仕掛《しか》けでも施《ほどこ》してあるらしく、扉《とびら》のあけ閉《し》めを頑《がん》として拒《こば》むのだった。

自動ピアノと称《しょう》するしろものは、安物の手まわしオルガンにすぎず、絶対にこじあけられないという耐火金庫《たいか》は、ある冬の晩《ばん》、泥棒《どろぼう》がひょいと肩《かた》にかつぎあげ、平然と持ち去ってしまった。

＊

不幸なクロードは、家や家財道具《かざい》で苦労しただけではない。被害《ひがい》は彼《かれ》自身の身にも及《およ》んだ。

着ていた服は、通りの真ん中でびりびりに裂《さ》けてしまった。在庫一掃《ざいこいっそう》セールだからと、大幅値引《おおはばねび》きを謳《うた》った店で買った品物だった。

ある日、ばったりクロードと顔を合わせると、なんと頭がつるつるに禿《は》げているではないか。彼は例によって進取の精神《せいしん》に導《みちび》かれ、ブロンドの髪《かみ》を黒髪《くろかみ》に変えようと思い立ったのだった。さっそく買った水薬《みずぐすり》を頭にふりかけると、ブロンドの髪はたちまちすべて抜《ぬ》け落ちてしまったが、それでも彼は喜んでいた。このあと、なんとかという塗《ぬ》り薬を使えば、以前の金髪《きんぱつ》にも増《ま》してふさふさの、黒い髪が生えてくるはずだからと。

クロードが飲んでいたさまざまな薬についても、言うにおよばずだろう。かつてはあんなに頑強《がんきょう》だった彼が、すっかりやせ細って息を切らしている。こうして彼は広告のせいで、命まで縮《ちぢ》めるはめになったのである。自分が病気だと思いこみ、彼は広告が教えるすぐれた処方《しょほう》に従《したが》って、我流《がりゅう》の治療《ちりょう》を開始した。ところがどの薬も賞賛《しょうさん》の声に満ちているものだから、はたと困《こま》ってしまった。そこで効果《こうか》をできるだけ高めようと、すべての療法《りょうほう》をいちどきに試したのだった。

＊

広告はクロードの知性《ちせい》にも、情《なさ》け容赦《ようしゃ》なく攻撃《こうげき》を加えた。彼は新聞が推薦《すいせん》する本で、書棚《しょだな》をいっぱいにした。そこで彼が採用《さいよう》した分類方法は、なんともユニークなものだった。本を中味の充実度順《じゅうじつど》に並《なら》べようというのだ。つまりは出版社《しゅっぱんしゃ》が打った広告の謳《うた》い文句《もんく》や推薦文《すいせんぶん》が、どれほど詩情《しじょう》に満ちているかに従《したが》って。現代《げんだい》のありとあらゆる愚書《ぐしょ》、悪書が、そこにはずらりと並《なら》んでいた。こんなにおぞましい本の山にも、なかなかお目にかかれないだろう。おまけにクロードはごていねいにも、その本を買う気にさせた広告を、ひとつひとつ背表紙《せびょうし》に張《は》りつけておいた。

そうすれば本をひらく前から、どんな興奮《こうふん》を味わえるのかわかるというわけだ。あとはそこで指示《しじ》されたとおり、笑ったり泣いたりすればいい。

こんな本の読み方をしていたせいで、クロードの頭はすっかり呆《ほう》けてしまった。

＊

このドラマの最終幕《さいしゅうまく》は、なんとも痛《いた》ましいものだった。

クロードはどんな病気も治すという不思議な力を持った女の話を読んで、さっそく駆《か》けつけた。そして、あれこれ病気の相談をした。実際《じっさい》には、そんな病気にはかかっていなかったのに。女は親切にも、若返《わか》りの秘策《ひさく》を教えようと申し出た。それを実行すれば、ほんの十六歳《さい》にしか見えなくなると。お風呂《ふろ》に入って水薬《みずぐすり》を服用するだけの、簡単《かんたん》な方法だった。

クロードは薬を飲み、風呂に浸《つ》かった。若返り効果《こうか》が絶大《ぜつだい》すぎたのか、三十分後、彼《かれ》は息絶《た》えていた。

死んだあとまでも、クロードは広告に痛めつけられ続けた。ある薬屋が最近特許《とっきょ》を取ったばかりの、瞬間防腐機能《しゅんかんぼうふきのう》つき棺桶《かんおけ》に入れて埋葬《まいそう》して欲《ほ》しい、というのが彼の遺言《ゆいごん》だった。棺桶は墓地《ぼち》に着くなりぱっかりと口をあけ、哀《あわ》れな遺体《いたい》は泥《どろ》のなかに滑《すべ》り落ちて、砕《くだ》けた木の板とごちゃ混《ま》ぜになった。

張りぼての石と模造《もぞう》大理石で作った彼の墓碑《ぼひ》は、冬が来るなり雨でふやけ、墓穴《はかあな》のうえに積もった得体のしれない汚物《おぶつ》の山になってしまったのだった。

恋愛結婚《れんあいけっこん》

Un mariage d'amour

ミシェルは二十五歳《さい》のとき、同い年のシュザンヌと結婚《けっこん》した。シュザンヌはとりたてて不細工でも美人でもない、痩《や》せて神経質《しんけいしつ》そうな女だが、大きくてきれいな目が、ほっそりした顔の端《はし》まで涼《すず》やかに伸《の》びていた。夫婦《ふうふ》は三年間、喧嘩《けんか》ひとつせずに暮《く》らした。家を訪《おとず》れるのは、夫の友人のジャックくらい。やがて妻《つま》はこの男に、激《はげ》しい恋心《こいごころ》を抱《いだ》くようになった。そしてジャックのほうも、胸《むね》を焦《こ》がす甘《あま》い情熱《じょうねつ》に身をゆだねてしまった。とはいえ、夫婦の平穏《へいおん》な暮らしにひびが入ることはなかった。臆病《おくびょう》な恋人《こいびと》たちは、大騒動《そうどう》になるのを恐《おそ》れて尻込《しりご》みしていたから。いつのまにかふたりのあいだには、ミシェルをやっかい払《ばら》いしようという計画が生まれていた。夫を殺せばすべてがうまくいく。誰《だれ》にも咎《とが》められず、自由に愛し合えるじゃないか。

ある日、ふたりはピクニックへ行こうとミシェルに持ちかけた。コルベーユ*で夕食を予約すると、ジャックの提案《ていあん》によりセーヌ川で船遊《ふなあそ》びをすることになった。ボートを漕《こ》ぐのはもっぱらジャックだった。そうやって川を下っていくあいだ、夫婦は子供《こども》みたいに歌ったり笑ったりしていた。

ボートが川の真ん中まで行き、こんもりと木の茂《しげ》った小島の陰《かげ》に入ると、突然《とつぜん》ジャックはミシェルにつかみかかり、川に落とそうとした。シュザンヌは歌うのをやめた。真っ青になって唇《くちびる》を噛《か》み、顔をそむけてただ震《ふる》えている。ふたりの男はしばらく、船上でとっくみ合っていた。ボートがぎしぎしときしんで沈《しず》みかけた。ミシェルはわけがわからず、声も出ないほど驚《おどろ》いていたが、それでも敵《てき》に襲《おそ》われた獣《けもの》のような本能《ほんのう》で必死に応戦《おうせん》した。彼《かれ》はジャックの頬《ほほ》に噛みつき、肉を食いちぎると、怒《いか》りと恐怖《きょうふ》に満ちた声で妻の名を呼《よ》びながら川に落ちた。彼は泳げなかった。

ジャックはシュザンヌを抱いて水に飛びこみ、ボートを転覆《てんぷく》させると、大声で助けを呼んだ。ジャックは泳ぎがとてもうまかったので、シュザンヌをささえて難《なん》なく岸にたどりついた。そこにはすでに大勢《おおぜい》の人々《ひとびと》が集まっていた。

＊パリ南郊の町

こうして恐《おそ》ろしいたくらみは成し遂《と》げられた。シュザンヌは気を失い、冷えきった体を砂《すな》のうえに横たえている。ジャックは泣きながら、早く友人を救助してくれと絶望《ぜつぼう》の叫《さけ》びをあげた。翌日《よくじつ》、新聞各紙がこの出来事を報《ほう》じたが、臆病《おくびょう》な恋人《こいびと》たちはずっと慎重《しんちょう》にふるまってきたので、これが偽装《ぎそう》殺人だとは誰《だれ》ひとり思わなかった。ジャックはミシェルに噛《か》みつかれた大きな傷《きず》について釈明《しゃくめい》を求められたが、ボートの釘《くぎ》で頬《ほお》をひっかいたのだと言ってごまかした。

＊

再婚《さいこん》できるようになるまで、少なくとも十三か月は待たねばならなかった。ともかく慎重を期そうと、お互《たが》いあらかじめ決めていた。できるだけ、ふたりきりにならないようにし、誰か第三者が見ている前でしか会わなかった。少しでも事を急《せ》いたら、疑惑《ぎわく》を招《まね》くはめになりかねない。

ジャックは最初の一週間、毎朝死体安置所にかよった。白いタイルに寝《ね》かされたミシェルの死体を確認《かくにん》すると、未亡人《みぼうじん》に代わって引き渡《わた》しを求め、埋葬《まいそう》した。ほとんど平然と罪《つみ》を犯《おか》したとはいえ、青緑色の痣《あざ》が点々《てんてん》とする、ぞっとするほど様変わりした犠牲者《ぎせいしゃ》を前にすると、恐怖《きょうふ》で体が震《ふる》えた。それ以来、ぶくぶくに膨《ふく》れた溺死《できし》体《たい》の苦しげな顔が、眼前《がんぜん》から離《はな》れなくなった。

十八か月がすぎても、恋人たちはめったに会わなかった。たまに顔を合わせると、妙《みょう》に気まずかった。胸《むね》がずしんと重いのは恐怖のせいだろう、と彼《かれ》らは思っていた。結婚《けっこん》して甘《あま》い愛の生活を味わえば、こんな忌《い》まわしい出来事に決着をつけられると。ジャックはひとりでいるのがとりわけつらかった。ミシェルの歯が頰《ほほ》に残した白い傷跡《きずあと》が肉を焦《こ》がし、顔じゅうを貪《むさぼ》り食われるように感じることもあった。シュザンヌの口づけが、この焼けるような痛《いた》みを和らげてくれればいいのに。

もう充分《じゅうぶん》待ったと思ってから、ようやくふたりは結婚した。知人たちは皆《みな》、祝福を惜《お》しまなかった。結婚式《けっこんしき》の準備《じゅんび》が続くあいだは、喜びに浸《ひた》ることができた。けれども本当は、喜びに目をくらまされているだけだった。罪《つみ》を犯《おか》したときからずっと、ふたりとも恐《おそ》ろしい悪夢《あくむ》にうなされる夜が続いていた。そして恐怖《きょうふ》に打ち勝つため、早く結婚《けっこん》したいと思っていたのだ。

*

結婚式《けっこんしき》がおわり、寝室《しんしつ》でふたりっきりになると、彼《かれ》らは黄色い光で部屋を照らす暖炉《だんろ》の前に、おどおどと不安げに腰《こし》かけた。

ジャックは愛を語りたかったのに、口が乾《かわ》いて言葉が見つからなかった。シュザンヌはといえば死人のように凍《こご》え、心からも体からも消え去った情熱《じょうねつ》をむなしく追い求めるばかりだった。

そこでふたりは初めて会ったかのように、さりげないふうを取りつくろった。けれども会話は弾《はず》まなかった。哀《あわ》れな溺死人《できしにん》のことが、どうしても頭に浮《う》かんでしまう。空疎《くうそ》な言葉を交わしながら、お互《たが》い相手が何を思っているか、手に取るようにわかった。やがておしゃべりが途切《とぎ》れても、沈黙《ちんもく》のなかでミシェルのことを話し続けているような気がした。恐ろしい言葉に満ちた沈黙が、耐《た》え難《がた》いほど重くのしかかってくる。寝間着姿《ねまきすがた》のシュザンヌは立ちあがると、真っ青な顔でふり返った。

「死体安置所で彼を見たわよね?」シュザンヌは押《お》し殺した声でたずねた。

「ああ」とジャックは震《ふる》えながら答えた。

「とても苦しんだみたいだった?」

ジャックには答えようがなかった。彼はただ目の前に浮かぶ忌《い》まわしい光景をふり払《はら》うかのような身ぶりをすると、腕《うで》を広げてシュザンヌに近よった。

「キスしてくれ」ジャックは白い傷跡《きずあと》が残る頬《ほほ》を突《つ》き出した。

「ああ、だめよ、できないわ……。そこは嫌《いや》!」シュザンヌはそう叫《さけ》ぶと、身を震わせあとずさりした。

ふたりは怯《おび》え、苛立《いらだ》ちながら、再《ふたた》び暖炉の前にすわった。長い沈黙の合間に、恨《うら》みがましい不平の言葉や非難《ひなん》がぽつぽつと続いた。
こうして新婚《しんこん》の夜はすぎていった。

＊

それ以来、哀《あわ》れなふたりのあいだに痛《いた》ましいドラマが始まった。そのすべてはとうてい語りきれないが、おもな出来事をざっとお話ししておこう。

まずはミシェルの死体が、ジャックとシュザンヌのあいだにあらわれるようになった。ふたりはベッドのうえでも離《はな》れて寝《ね》た。まるでミシェルのために、場所を空けているかのように。キスをすると、唇《くちびる》は冷たくなった。死がふたりの口のあいだに入りこんだかのように。年中、びくびくのしどおしだった。突然《とつぜん》、ぞっとして体を離すこともあった。幻覚《げんかく》に捕《と》らわれ、いつなんどき殺した男の姿《すがた》が見えないとも限《かぎ》らなかった。

ふたりはもう、愛し合うことなどできなかった。ただ激《はげ》しい恐怖《きょうふ》にじっと耐《た》えるだけだ。いっしょに暮《く》らしているのも、溺死《できし》した男から身を守るためにすぎなかった。ときには必死に身を寄《よ》せ、強く抱《だ》き合うこともあったが、それとて不気味な幻《げん》影《えい》から逃《のが》れるためだった。

やがて憎《にく》しみがおとずれた。自らの犯《おか》した罪《つみ》に苛立《いらだ》ち、人生を台なしにしてしまったことに絶望《ぜつぼう》して、ふたりは互《たが》いに相手を責《せ》めた。ジャックは無理やり人殺しをさせられたと言って、シュザンヌを口汚《くちぎたな》く罵《ののし》った。シュザンヌはジャックを嘘《うそ》つき呼《よ》ばわりし、悪いのは彼《かれ》ひとりだと決めつけた。怒《いか》りが不安を増大《ぞうだい》させ、毎日、ささいな記憶《きおく》をきっかけに、いっそう激しい辛辣《しんらつ》な言い争いが始まった。こうしてふたりの殺人者は、自業自得の苦しみに満ちた生活に戻《もど》り、野獣《やじゅう》さながらあえぐようにけなし合っては、また黙《だま》りこむのだった。シュザンヌはミシェルが懐《なつ》かしくなり、大声で泣きわめいた。そしてミシェルを殺した本人にむかって、彼がどんなにすばらしい人間だったかを言い立てた。ジャックは自分が川に突《つ》き落とした男のことを、年から年中聞かされ続けねばならなかった。死体置き場のタイルに寝《ね》かされていた死体は、どんなに恐《おそ》ろしかったことか。ときには何時間も、錯乱状態《さくらんじょうたい》が続くこともあった。そんなときジャックは共犯者《きょうはんしゃ》を罵倒《ばとう》し、殴《なぐ》りつけては、殺人の話を大声で繰《く》り返した。なにもかもおまえがやったことじゃないか、おまえのせいでおれは激《げき》情《じょう》に流され見境《みさかい》をなくしてしまったのだと。

さほど痛《いた》まずにすむのなら、ミシェルの歯型を取り去るため、自ら頰《ほほ》を切り落としたことだろう。シュザンヌは傷痕《きずあと》を眺《なが》めながら涙《なみだ》を流した。今やジャックの顔は、彼女《かのじょ》にとって恐怖《きょうふ》の的だった。それを見ると、いつまでも震《ふる》えが止まらなかった。

＊

この悲惨《ひさん》なドラマも、ようやく最終幕《さいしゅうまく》を迎《むか》えることになる。憎悪《ぞうお》のあとには怯《おび》えと不安が訪《おとず》れ、ふたりの殺人者は互《たが》いに相手を恐れるようになった。

悔恨《かいこん》に責《せ》め苛《さいな》まれながら、いつまでも生き続けられるはずがない。彼《かれ》らは互いが弱っていくさまを、おののきながら眺めていた。ふたりのうちのどちらかが、いつかきっとしゃべってしまうだろう。そう思うと身震《みぶる》いが止まらなかった。

そして彼らは監視《かんし》し合うようになった。苦しみは耐《た》えがたいほどだったが、罰《ばつ》を受けてまで解放《かいほう》されたいとは思わなかった。ひとりがどこかへ行くと、必ずもうひとりがあとをつけ、お互いの一挙手一投足を見張《みは》った。新たな言い争いが始まるたび、全部ばらすと脅《おど》しては、黙《だま》っていてくれと両手を合わせて懇願《こんがん》し、疑心暗鬼《ぎしんあんき》と敵対《てきたい》が続いた。後悔《こうかい》と恐怖で胸《むね》が休まることのない、まさに生き地獄《じごく》の毎日だった。

とうとうふたりは、危険《きけん》な共犯者を亡《な》き者にしようと思うようになった。ジャックの頬に残る傷痕を見ることなく、穏《おだ》やかに暮《く》らしたいとシュザンヌは願った。ジャックはシュザンヌを殺すことで、最初の罪《つみ》も帳消しにできるだろうと考えた。

ある日、ふたりは、互いが相手のグラスに毒を注いでいるところを見てしまった。あまりのことに涙がこみあげ、高ぶっていた心もいっきに冷めて、相手の腕《うで》に身を投げ出した。そして許《ゆる》しを請《こ》いながら、いつまでも泣き続けた。なんて恥《は》ずかしいことをしたのだろう、もう生きてはいられないと彼《かれ》らは思った。最後の危機《きき》が、彼らの苦悩《くのう》を和らげた。

彼らは自分たちの注いだ毒をあおり、同時に息絶《た》えた。結局ふたりは犯罪《はんざい》のなかでも死のなかでも、切り離《はな》しがたく結びついていたのだ。テーブルのうえには、罪《つみ》を告白した悲痛《ひつう》な遺書《いしょ》が残されていた。わたしがこの恋愛結婚《れんあいけっこん》の物語を書くことができたのは、それを読んだからである。

猫《ねこ》の楽園

Le Paradis des chats

亡《な》くなった叔母《おば》が、一匹《ぴき》のアンゴラ猫《ねこ》を遺《のこ》してくれた。こいつときたら、本当にぐうたらな猫だった。ある冬の晩《ばん》、暖《あたた》かい熾火《おきび》の前で、猫はこんな昔話を始めた。

1

当時わたしは、二歳《さい》。そんじょそこらでは見かけないほど太って、世間知らずの猫でした。まだ若《わか》い盛《さか》りとあって、思いあがっていたのでしょう、飼《か》い猫のぬくぬくとした暮《く》らしを軽蔑《けいべつ》していました。でも叔母さんの家にもらわれた神様の思し召《め》しに、どれほど感謝《かんしゃ》すべきだったことか。叔母さんはとてもいい人で、わたしをかわいがってくれました。戸棚《とだな》の奥《おく》には羽毛のクッションと毛布《もうふ》を三枚《まい》敷《し》いた、立派《りっぱ》な寝床《ねどこ》まであったのですから。食べ物もそれに劣《おと》りません。パンやスープなんか、一度も出されたことはなく、いつも肉ばかり。しかも血が滴《したた》る、極上の肉です。そんな安逸《あんいつ》な日々《ひび》を送りながらも、わたしにはひたすらあこがれ、夢見《ゆめみ》ていることがありました。半びらきになった窓《まど》をするりと抜《ぬ》け、屋根のうえにおり立ちたいと願っていたのです。いくら撫《な》でられても味気ないし、ふわふわのベッドにも吐《は》き気を催《もよお》すだけ。それにだらしなく太った体には、自分でも嫌気《いやけ》がさしてました。しあわせな身の上に、一日中うんざりしどおしだったのです。

首を伸《の》ばせば窓のすぐむこうに、むかいの屋根が見えたことも、言っておかねばなりません。その日は四匹の猫が尻尾《しっぽ》をぴんとうえにあげ、毛を逆立《さかだ》て喧嘩《けんか》をしていました。さんさんと日の射《さ》す青いスレート屋根のうえで、楽し気なうなり声をあげながら、転げまわっています。こんなに胸躍《むねおど》る光景は、今まで見たことがありませんでした。そのときから、わたしは確信《かくしん》したのです。本当の幸福はあの屋根のうえに、注意深く閉《し》められた窓のむこうにある。それが証拠《しょうこ》においしい肉がしまってある戸棚《とだな》も、しっかり扉《とびら》が閉《し》まっているじゃないか、と。
こうして、逃《に》げ出す決意は固まりました。血の滴《したた》る肉だけが、猫《ねこ》の暮《く》らしのすべてじゃない。外にはまだ知らないもの、理想的なものがあるはずだ。そんなふうに思っていたら、ある日、台所の窓《まど》が閉め忘《わす》れてありました。そこでわたしは、すぐ下の小屋根に飛びおりたのです。

2

屋根のなんとすばらしかったことか！　軒《のき》を縁《ふち》どる雨樋《あまどい》からは、心地よい香《かお》りが漂《ただよ》ってきます。わたしはなめらかな泥《どろ》に足を浸《ひた》し、雨樋のなかを歩きました。泥はどこまでもやさしく温かで、まるでビロードのうえを歩いているかのようでした。ぽかぽかした陽にあたっていると、体にたまった脂肪《しぼう》まで溶《と》けていくような気がしました。

正直に言いましょう。わたしは喜びに、全身打ち震《ふる》えていました。けれども、そこには不安も混《ま》ざっていました。舗道《ほどう》のうえでひっくり返りそうになるくらい、激《はげ》しい動揺《どうよう》に襲《おそ》われたこともよく覚えています。家のてっぺんからするすると降《お》りてきた三匹《びき》の猫が、すごみの利《き》いた鳴き声をあげながらこちらにやって来るではありませんか。わたしは今にも卒倒《そっとう》しそうでした。三匹はそれを見て、わたしをデブ猫呼《よ》ばわりしました。なに、ふざけて鳴いてみただけさ、と彼《かれ》らは言うのでした。そこでわたしも、いっしょにみゃあみゃあ鳴き始めました。とてもすてきな経験《けいけん》でした。三匹はたくましくて、わたしみたいにみっともない贅肉《ぜいにく》などついていません。日に焼かれた熱いトタン板のうえを、ボールみたいに転げまわるものだから、わたしは馬鹿《ばか》にされっぱなしでした。なかに一匹、歳《とし》とった雄猫《おす》がいて、わたしに目をかけてくれました。なんならひとつ、先生役を買って出ようと言うのです。わたしは喜んでお願いしました。

ああ、叔母《おば》さんのくれるモツ肉も、いまや遠い昔の話。雨樋からすする泥水《どろみず》が、砂糖《さとう》をたっぷり入れたミルクより、わたしには甘美《かんび》に感じられました。なにもかもが魅力《みりょく》的で、心ときめかすものでした。一匹《ぴき》の雌猫《めすねこ》が通りかかりました。うっとりするような雌猫です。ひと目見ただけで、わたしのなかに未知の興奮《こうふん》が湧《わ》きあがりました。あんなにしなやかな背中《せなか》をした優美《ゆうび》な生き物には、いままで夢《ゆめ》のなかでしか出会ったことがありません。わたしと連れの三匹は、やって来た雌猫目がけて飛んでいきました。わたしは皆《みな》を出し抜《ぬ》き、先頭に立つことができました。ところが雌猫に賞賛《しょうさん》の言葉をかけようとしたとき、連れの一匹が、首にがぶりと噛《か》みついたのです。あまりの痛《いた》さに、わたしは悲鳴をあげました。「いやなに」と歳《とし》とった雄《おす》猫が、わたしを引っぱりながら言いました。「それくらい、まだ序《じょ》の口だぞ」

3

一時間ほど歩きまわるうち、激《はげ》しい空腹《くうふく》を感じ始めました。

「屋根のうえでは、みんな何を食べているんです?」とわたしは雄猫にたずねました。

「目についたものをね」と雄猫はもったいぶって答えました。

これには当惑《とうわく》するばかりでした。いくらあたりを見まわしても、目につくものなどなにもなかったからです。ようやく屋根裏部屋《やねうら》で、若《わか》い女が昼食のしたくをしているのが見えました。窓辺《まどべ》のテーブルには、おいしそうな赤身のあばら肉が置かれています。

「あれをもらえばいいんだな」とわたしは無邪気《むじゃき》に思いました。

そしてテーブルに飛びのり、あばら肉に食らいつきました。ところが女がそれに気づき、わたしの背中を箒《ほうき》で力まかせに叩《たた》くではありませんか。わたしは肉を放し、悪態《あくたい》をつきながらほうほうのていで逃《に》げ出しました。

「やれやれ、なんておめでたいやつなんだ」と雄猫は言いました。「テーブルに置いてある肉なんて、遠くから眺《なが》めるだけのものさ。おれたちが食べ物を探《さが》すのは、雨樋《あまどい》のなかなんだ」

台所の肉が猫《ねこ》のものじゃないなんて、まったくわけがわかりません。おなかは本気で音をあげ始めました。夜を待たなければ、と雄猫《おす》が言うのを聞いて、絶望《ぜつぼう》のどん底につき落とされた気分でした。夜になったら通りに降《お》りて、ごみを漁るのだというのです。夜を待つだって！　しかし雄猫は堅物《かたぶつ》の哲学者《てつがくしゃ》よろしく、平然とそう繰《く》り返します。この断食《だんじき》がまだ続くのかと思っただけで、わたしのほうは気が遠くなりそうでした。

4

ゆっくりと日が暮《く》れていきました。凍《い》てつくように寒い、霧《きり》まじりの晩《ばん》です。やがて雨が降《ふ》り始めました。突風《とっぷう》が吹《ふ》くたび身に染《し》み入る、細かな雨でした。わたしたちは階段《かいだん》のガラス窓《まど》を通って、下に降りました。けれども通りは、ずいぶんと汚《きたな》らしく見えました。暖《あたた》かい日差しも、楽しく転げまわった白く明るい屋根も、もうそこにはありません。べとつく石畳《いしだたみ》を歩くと、足が滑《すべ》りました。わたしは三重の毛《もう》布《ふ》と、羽毛のクッションを思い出し、苦々《にがにが》しい気持ちになりました。

わたしたちが通りに降り立つなり、わが友は身震《みぶる》いし始めました。そして体を縮《ちぢ》こまらせると、急いでついてくるようわたしに言って、家並《いえなみ》に沿《そ》ってそっと歩き出しました。そして門に行きつくなり、ほっとしたように喉《のど》を鳴らしながら、素早《すばや》くなかに駆《か》けこみました。どうしてそんなふうに逃《に》げるのかとたずねると、彼《かれ》はこう訊《き》き返しました。

「あそこに男がいただろ？　かごを背負《せお》い、フックを持った男が」

「たしかに」

「あいつに見つかったら大変だ。叩《たた》き殺され、串焼《くしや》きにされてしまうぞ」

「串焼きにされるだって？」とわたしは叫《さけ》びました。「それじゃあ通りは、猫ののじゃないんですか？　食べるどころか、食べられてしまうだなんて！」

5

戸口の前に捨《す》ててあるゴミの山を、わたしはしかたなく漁り始めました。けれども灰《はい》まみれになった貧弱《ひんじゃく》な骨《ほね》が二、三本見つかっただけでした。新鮮《しんせん》なモツ肉がどんなにおいしいものなのか、ようやくわたしにもわかりました。友だちの雄猫《おすねこ》は手《て》慣《な》れたようすでゴミをかきまわしています。わたしは朝まで彼《かれ》に引っぱりまわされ、街路をひとつひとつ丹念《たんねん》に見て歩きました。十時間近くも雨に打たれ続け、体中ぶるぶると震《ふる》えています。わたしは通りを呪《のろ》い、自由を呪いました。かつての監獄《かんごく》暮《ぐ》らしが、懐《なつ》かしくてしかたありません。

夜が明けると、今にも倒《たお》れそうなわたしを見て、雄猫がたずねました。

「もうこりごりってわけか？」友はおかしな表情《ひょうじょう》をしています。

「はい」とわたしは答えました。

「家に帰りたいんだな？」

「ええ、できれば。でも、どうやって家を見つけたらいいのか」

「こっちへ来い。昨日の朝、おまえさんが屋根に降《お》りてくるのを見て、すぐにわかったよ。おまえみたいなデブ猫は、自由を謳歌《おうか》する厳《きび》しさにむいてないって。家なら知ってるから、戸口まで送ってやろう」

この立派《りっぱ》な雄猫は、あっさりと言い放ちました。こうしてわたしたちは、無事家にたどり着きました。

「じゃあな」友はそっけなく、ひとことそう言っただけでした。

「だめだ、こんなふうに別れるなんて」とわたしは叫《さけ》びました。「いっしょに行きましょう。ベッドや肉を分け合うんです。飼《か》い主はとてもいい人だから……」

けれども雄猫はわたしの言葉をさえぎって、きっぱりとこう言いました。

「いいかげんにしろ。わかってないな。そんな生ぬるい、だらけた毎日じゃあ、退《たい》屈《くつ》で死んでしまう。贅沢三昧《ぜいたくざんまい》の暮《く》らしは、堕落《だらく》した猫にまかせておくさ。監獄と引き換《か》えにモツ肉と羽毛のクッションにありつこうなんて、自由な猫は決して思わないんだ……。じゃあな」

そして雄猫《おすねこ》は、再《ふたた》び屋根へとのぼっていきました。昇《のぼ》る朝日にやさしく照らされ、喜びにうち震《ふる》える痩《や》せた大きな猫の影《シルエット》が見えました。

部屋に戻《もど》ると、叔母《おば》さんは鞭《むち》を取ってわたしを打ちすえました。わたしはそのお仕置きを大喜びで受け入れ、暖《あたた》かい部屋で鞭打《むちう》たれる快感《かいかん》を存分《ぞんぶん》に味わっていました。そうやって叔母さんに叩《たた》かれながら、あとでもらえる肉のことをうっとりと思い浮《う》かべていたのです。

6

「もうおわかりでしょう」と猫は熾火《おきび》の前に、長々《ながなが》と寝《ね》そべりながら締《し》めくくった。

「真の幸福、楽園というのは、肉のある部屋に閉《と》じこめられ、打ちすえられることにあるんですよ、ご主人様」

なるほど猫たちは、こんなことを考えているというわけだ。

オリヴィエ・ベカイユの死

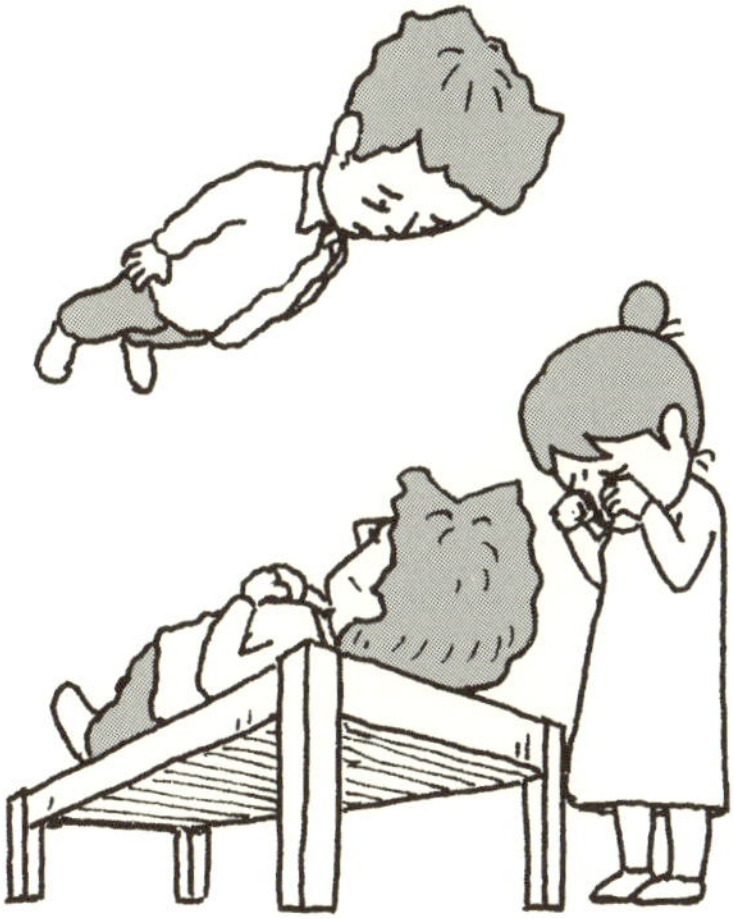

La Mort d'Olivier Bécaille

1

ぼくが死んだのはある土曜日、朝六時のことだった。三日前から、ずっと具合が悪かった。哀《あわ》れな妻《つま》はトランクをひらき、下着をさがしているところだった。彼女《かのじょ》はふと顔をあげ、異変《いへん》に気づいた。ぼくが目をむき、息をつまらせ、固まりついているのを見て、気絶《きぜつ》したと思ったのだろう、あわてて駆《か》け寄《よ》ってきた。そしてぼくの手を取り、顔をのぞきこんだ。やがて妻は恐怖《きょうふ》に襲《おそ》われ、大声で泣きながら口ごもるように言った。

「ああ、どうしましょう、死んでるわ」

ぼくにはみんな聞こえていたけれど、音は遠くからやって来るみたいに弱々《よわよわ》しかった。まだ左目には、ぼんやりとした明かりが灯っている。白っぽい光のなかに、ものの影《かげ》がうっすらと見えた。しかし右目は真っ暗だった。まるで雷《かみなり》に打たれたかのように全身が麻痺《まひ》し、意思の力ではどうにもならない。筋肉《きんにく》ひとつ、動かせないのだ。手足をだらりとさせたまま、ただ寝《ね》そべるだけの惨《みじ》めな境遇《きょうぐう》でも、頭だけは働いていた。回転が速いとはお世辞にも言えないが、思考力は少しも鈍《にぶ》っていない。

マルグリットはベッドの前にひざまずき、泣き続けていた。そしてとぎれとぎれに、こう繰《く》り返している。

「死んでる。ああ、神様、夫が死んでしまったわ」

なるほどこれが、死というものなのか？　頭はしっかり働いているのに、体は少しも動かせない、この奇妙《きみょう》な麻痺状態《じょうたい》が。まだぐずぐずと居残《いのこ》っている魂《たましい》も、やがては飛び立つことになるのだろうか？　ぼくは子供《こども》のころから、よく神経《しんけい》の発作を起こした。幼《おさな》い時分、二度も死にかけたことがある。だからまわりのみんなは、ぼくが病気がちなのに慣《な》れっこだった。三日前の朝、パリのドーフィーヌ通りにあるこの家具つきアパートに着いたとたん、ぼくは寝《ね》こんでしまったけれど、そのときも医者は呼《よ》ばなくていいとマルグリットに言ったくらいだ。少し休めば大丈夫《だいじょうぶ》。旅の疲《つか》れが出ただけだからと。それでもぼくは、不安でいっぱいだった。満足なお金もないまま、あわただしく田舎《いなか》をあとにした。パリで役所勤《やくしょづと》めが決まっていたものの、最初の給料をもらうまで持つか持たないかだ。そこに突然《とつぜん》、発作に襲《おそ》われるなんて。

それじゃあ、ぼくは死んだのか？　死というのはもっと真っ暗で、静まり返っているものだろうと想像《そうぞう》していたのに。小さいころから、死ぬのが怖《こわ》くてたまらなかった。ぼくが虚弱《きょじゃく》なのに同情《どうじょう》して、みんなが優《やさ》しく接《せっ》してくれるものだから、長くは生きられないといつも思っていた。ぼくはもうすぐ死んで、埋葬《まいそう》されてしまうのだと。土に埋《う》められるなんて、考えただけでも恐《おそ》ろしかった。寝ても覚めても怯《おび》え続け、どうしても慣《な》れることができなかった。大きくなっても、強迫《きょうはく》観念は続いた。何日も悩《なや》んだ末、恐怖《きょうふ》を克服《こくふく》できたような気になることもあった。いやなに、死ねば終わりだ。どうせみんな、いつかは死ぬんだし、死に方にいいも悪いもありゃしない。ぼくはほとんど愉快《ゆかい》な気分になり、真正面から死と向き合った。けれどもすぐにまたぶるぶると震《ふる》え出し、まるで巨大《きょだい》な手につかまれ、暗い深淵《しんえん》のうえで揺《ゆ》さぶられているみたいに、眩暈《めまい》がしてくるのだった。土に埋められるのかと思うと、理性《りせい》が吹《ふ》き飛んでしまう。眠《ねむ》っているあいだに、なんだか体がぞくっとして、いく度夜中に飛び起きたことか。そんなとき、ぼくは必死に両手を合わせ、「ああ、神様、死にそうです」とつぶやくのだった。不安で胸《むね》が押《お》しつぶされそうだった。死はいつか必ずやって来る。目覚めたばかりの乱《みだ》れた心には、それがいっそう忌《い》まわしく感じられた。いったん起きてしまうと、なかなか寝つけなかった。眠るのが怖いのだ。眠りは死とよく似《に》ているから。このままずっと、眠り続けてしまうのでは？　目を閉《と》じたら最後、二度とひらくことができないのでは？

　ほかの人たちも、こんなことに思い悩んでいるのだろうか？　それはわからないけれど、ぼくには一生の大問題だった。どんなに楽しいことがあっても、その前にはいつも死が立ちふさがっている。マルグリットとすごす、至福《しふく》のひと時もそうだった。新婚《しんこん》時代の数か月、夜いっしょに寝《ね》ているときや、彼女《かのじょ》のことを考えて未来を夢見《ゆめみ》ているときも、たえずぼくは思わずにはおれなかった。いつか死がふたりを引き離《はな》し、喜びも希望も台なしにしてしまうのだと。ぼくたちは離れ離れになる。もしかしたら明日にも、あるいは一時間後にも。そしてぼくは、絶望《ぜつぼう》の底に落ちこむのだった。愛する妻《つま》と暮《く》らす幸せが、何になるっていうんだ。その先には、つらい別れが待っているのに。ぼくは死別のときを、ついつい想像《そうぞう》してしまった。先に逝《い》くのはぼくだろうか？　それとも、妻のほう？　どちらにせよ、引き裂《さ》かれた日々《ひび》が目に浮《う》かび、考えるだけで涙《なみだ》がこみあげた。人生最高のときにも、こんなふうにして突然《とつぜん》ぼくは、誰《だれ》にも理解《りかい》できないふさぎの虫に取りつかれるのだった。幸運がめぐってきたというのに、ぼくが浮かない顔をしているのを見て、みんなびっくりするけれど、それは喜びのさなかに、ふと空しくなってしまうからだ。「それが何になる？」という恐《おそ》ろしい声が、耳もとで弔鐘《ちょうしょう》のように響《ひび》く。けれどもいちばんつらいのは、この苦しみを誰にも打ち明けられないことだった。ただ密《ひそ》かに恥《は》じ入りながら、そっと耐《た》えねばならない。並《なら》んで寝ている夫婦《ふうふ》が、明かりを消したとたん、ふたりそろってぶるっと体を震《ふる》わす。そんな瞬間《しゅんかん》があるはずだ。しかし夫も妻も、ただ黙《だま》っている。卑猥《ひわい》な言葉を避《さ》けるように、みんな死の話はしたがらない。口にするのも忌《い》まわしいほど、死を恐れているのだ。誰も人前で素《す》っ裸《ぱだか》になったりしないように、死は念入りに包み隠《かく》されている。

そんなことを考えているあいだにも、愛しのマルグリットはすすり泣き続けていた。どうやって慰《なぐさ》めたらいいのか、わからないのがつらかった。ぼくはぜんぜん苦しんでいないからと、言ってあげられたらいいのに。体が動かなくなるだけなら、あんなに死を恐れることなどなかったんだ。悩《なや》みを忘《わす》れ、ひとりで好き勝手に休んでいられるのだから。記憶《きおく》がいつになく鮮明《せんめい》によみがえった。これまでの人生が、走馬灯のように浮かんでは消えていく。ぼくはその光景を、ただ傍《かたわ》らから眺《なが》めていた。なんだか面白い、不思議な感覚だった。まるでぼくのことを物語る声が、遠くから聞こえてくるみたいだ。

　ピリアックの村にむかう街道沿《ぞ》いの、*ゲランドにほど近い片田舎《かたいなか》の思い出は、いつまでも脳裏《のうり》を離《はな》れなかった。曲がりくねった街道から、小さな松林が石ころだらけの斜面《しゃめん》に続いている。ぼくは七歳《さい》のころ、よく父に連れられ、半ば崩《くず》れかけたあばら家へクレープを食べに行った。そこがマルグリットの家だった。彼女《かのじょ》の両親は近くの塩田で働いていたけれど、すでに生活は苦しかった。次に思い出したのは、*ナントの中学校のことだった。ぼくはこの古い退屈《たいくつ》な町で育った。ゲランドの遥《はる》かな地平線を、絶《た》えず懐《なつ》かしみながら。町の下方には見渡《みわた》す限《かぎ》り塩田が続き、大空の下には雄大《ゆうだい》な海が広がっている。そこから先の人生には、暗い穴《あな》が穿《うが》たれていた。父が死ぬと、ぼくは病院の事務員《じむいん》として働き出し、単調な毎日が始まった。たったひとつの楽しみは、日曜日、ピリアック街道の古い家を訪《おとず》れることだった。マルグリットの一家の暮《く》らしむきは、悪くなるいっぽうだった。塩田の仕事はほとんどもうからず、この地方は悲惨《ひさん》な状況《じょうきょう》に陥《おちい》っていたからだ。マルグリットはまだほんの子供《こども》だった。ぼくにはなついていたけれど、それは彼女を手押《ておし》車に乗せて、散歩に連れていってあげたからだ。ある朝、ぼくはマルグリットに結婚《けっこん》を申しこんだ。そのとき彼女の怯《おび》えたようすを見て、嫌《きら》われているのだとわかった。しかし両親は、すぐに結婚を認《みと》めてくれた。娘《むすめ》が片づけば、それでよかったのだろう。マルグリットも親には逆《さか》らわなかった。ぼくの妻《つま》になるという考えに慣《な》れてくると、嫌《いや》がるそぶりはあまり見せなくなった。ゲランドで結婚式《けっこんしき》を挙げた日はどしゃぶりの雨だったのを、いまでもよく覚えている。マルグリットは家に帰ると、下着姿《したぎすがた》にならねばならなかった。ドレスがびしょびしょに濡《ぬ》れてしまったから。

それがぼくの青春だった。ぼくたちはしばらく、むこうで暮らした。ところがある日、仕事から戻《もど》ると、妻がさめざめと泣いている。びっくりしてわけをたずねると、もうこんなところはうんざりだ、どこかよそへ行きたいと言うではないか。ぼくは細々《こまごま》と倹約《けんやく》し、残業も厭《いと》わず引き受けた。そして半年後には、いくらか貯えができた。家族ぐるみのつき合いがあった古い友人が尽力《じんりょく》して、パリに仕事を見つけ

＊フランス西部の町

てくれたのを機に、ぼくは田舎町《いなかまち》を離《はな》れることにした。愛する妻《つま》が、もう泣かなくてもいいようにと。列車に乗っているあいだも、マルグリットは上機嫌《きげん》だった。三等車の座席《ざせき》は硬かった。ぼくは夜になると、妻がゆっくり眠《ねむ》れるよう膝《ひざ》に乗せてあげた。

そうしてぼくは今、突然《とつぜん》の死に見舞《みま》われ、家具つきアパートの狭《せま》いベッドに横たわっている。妻はと言えばタイルの床《ゆか》にひざまずき、泣きくずれていた。左目にぼんやりとうつる白い光も、徐々《じょじょ》に薄《うす》れていくようだ。それでもこの部屋のようすは、はっきりと思い浮《う》かべることができた。左に戸棚《とだな》、右には暖炉《だんろ》。暖炉のうえには振《ふ》り子のない、壊《こわ》れた時計が置かれ、十時六分を指している。窓《まど》の外には暗いドーフィーヌ通りがのび、パリ中の人々《ひとびと》が行きかうざわめきで窓ガラスが振動《しんどう》する音が聞こえるほどだ。

パリには知り合いが、誰《だれ》もいなかった。大急ぎで出発したので、来週の月曜にならなければ役所の仕事も始まらない。しばらく寝《ね》こんでいたあいだは、なんだか奇《き》妙《みょう》な感じだった。十五時間も列車に揺《ゆ》られ続け、大都会の喧騒《けんそう》に頭が朦朧《もうろう》としながら、ようやくたどり着いたこの部屋を、一歩も出られないなんてと。妻はやさしく、にこやかに看病《かんびょう》してくれたけれど、どんなに不安がっているかはよくわかった。ときおり彼女《かのじょ》は窓辺《まどべ》に近寄《ちかよ》り、ちらりと通りを見やると、真っ青な顔でまた戻《もど》ってきた。なにひとつ知らないパリ、恐《おそ》ろしいうなり声をあげる巨大《きょだい》なパリの町に、怯《おび》えきっているのだ。もしもこのまま、ぼくが寝たきりだったら、彼女はどうするのだろう？　右も左もわからないこの大都会でたよる相手もなく、たったひとりでどうなってしまうんだ？

マルグリットはベッドの脇《わき》にだらりとさがったぼくの手を取り、口づけをしながら必死に繰《く》り返した。

「あなた、返事をして……。ああ、神様、本当に死んじゃったんだわ」

つまり死とは、無に還《かえ》ることではなかったんだ。だってまだ耳も聞こえれば、ものも考えられるのだから。からっぽの世界が、子供《こども》のころからひたすら怖《こわ》かった。

自分がいなくなってしまう、ぼくという存在《そんざい》がすっかり消え去ってしまうなんて、想像《そうぞう》もつかなかった。しかもこの先何百年、何千年と、永遠《えいえん》によみがえることはないのだ。新聞記事のどこかに、来世紀の日付が出ていたりすると、恐《おそ》ろしくて体が震《ふる》えたものだ。その日、ぼくはもうこの世にいないだろう。ぼくが見ることのない年、生きてもいない年がある。そう思うと不安で胸《むね》がいっぱいになった。ぼくがこの世界そのものではないのだろうか？　ぼくが死んだら、すべてが崩《くず》れ去るはずでは？

死んだあとも生きている夢《ゆめ》を見続けられたらいいと、ずっと願っていた。でもそれなら、本当に死んだわけではないのだろう。ぼくはきっともうすぐ目を覚ます。そうとも、もうすぐマルグリットのほうへ身を乗り出し、この腕《うで》に抱《だ》きしめて涙《なみだ》を乾《かわ》かしてあげられる。なんとすばらしい再会《さいかい》の喜びだろう。あと二日、ゆっくり休んだら、役所へ仕事に行こう。ふたりにとって、新たな人生が始まる。もっと幸福で、もっとゆったりした人生が。なにもあわてることはない。さっきはすっかり打ちひしがれてしまったけれど、マルグリットだってこんなに嘆《なげ》き悲しむことないいんだ。だってぼくは枕《まくら》のうえで頭を傾《かたむ》け、微笑《ほほえ》みかける力が湧《わ》いてこないだけなのだから。「死んじゃった。ああ、神様、死んじゃったわ」と彼女《かのじょ》がまた繰《く》り返しても、じきに抱きしめてあげられる。そして妻《つま》が怯《おび》えないよう、小声でそっとこう言おう。「なに、眠《ねむ》っていただけさ。ほらね、ぼくは生きている。愛しているよ」って。

2

マルグリットの叫《さけ》びを聞きつけ、誰《だれ》かやって来たのだろう、いきなりばたんとドアがあき、大声が響《ひび》いた。

「どうしたの、お隣《となり》さん？　また発作？」

声を聞いてすぐにわかった。同じ階に暮《く》らすギャバン夫人だ。彼女はぼくたちの境遇《きょうぐう》に同情《どうじょう》し、入居《にゅうきょ》するなりなにかと親切にしてくれた。さっそく身の上話も、ひとくさり聞かされたけれど。前に住んでいた部屋の家主が頑固者《がんこもの》で、去年の冬、家《や》賃代《ちん》わりに家具をすべて売り払《はら》われてしまった。それ以来、十歳《さい》になる娘《むすめ》のアデルといっしょに、このアパートに住んでいる。ランプシェードを切り取る内職《ないしょく》をふたりでしているが、そんな仕事で稼《かせ》げるのは、せいぜい四十スーほどだった。

「やれやれ、もう治《おさ》まったかしら？」とギャバン夫人は声をひそめてたずねた。

どうやらこっちへ近づいてくるようだ。彼女《かのじょ》はぼくをじっと見つめた。そして体に触《さわ》ると、憐《あわ》れんだようにこう言った。

「あらまあ、奥《おく》さん、おかわいそうに」

マルグリットは疲《つか》れ果て、子供《こども》みたいにただすすり泣いている。ギャバン夫人は妻《つま》を立たせると、暖炉《だんろ》の脇《わき》にあるがたがたのひじ掛《か》け椅子《いす》にすわらせ、慰《なぐさ》めの言葉をかけた。

「おつらいのはよくわかるけど、だんなさんが亡《な》くなったからって、そんなに嘆《なげ》き悲しんじゃいけないわ。もちろんあたしだって、亭主《ていしゅ》を亡くしたときは、あんたとおんなじだった。三日間、ろくに食べ物も喉《のど》に通らなかったくらい。でも、なんにもなりゃしない。ますます落ちこむのが関の山……。さあ、たのむからしっかりしてちょうだい」

マルグリットは徐々《じょじょ》に泣きやんだ。もう、力尽《つ》きていたのだろう。それでもときおり涙《なみだ》がこみあげるのか、ぶるっと体を震《ふる》わせた。そのあいだにもギャバン夫人は、わがもの顔で部屋を歩きまわっている。

「なにも心配しなくていいわよ。娘のデデ*もちょうど仕事を届《とど》けに行っているところだし。それにお隣《となり》どうし、助け合わなくちゃ……。おや、荷物はまだひらき終わってないのね。でも、シーツやタオルは戸棚《とだな》にしまってあるんでしょ？」

戸棚をあける音が聞こえた。どうやらタオルを取り出して、ナイトテーブルのうえに広げているらしい。それからギャバン夫人はマッチを擦《す》った。暖炉のうえからロウソクを一本持ってきて、教会の祭壇《さいだん》に捧《ささ》げるみたいに、ぼくの脇に灯すつもりなんだろう。彼女が部屋を行き来する一挙手一投足までが、ぼくにはすべてわかった。

「だんなさんも、お気の毒ね。でもまあ、よかったわよ。あんたの叫《さけ》び声が聞こえて」

＊アデルの愛称

まだ左目に灯っていた微《かす》かな光が、いきなり消えてしまった。ギャバン夫人がぼくの目を閉《と》じさせたのだ。瞼《まぶた》に指が触《ふ》れる感触《かんしょく》なんか、少しもなかったのに。そうとわかって、背筋《せすじ》に軽い寒気が走った。

そのときまたドアがあき、デデが十歳《さい》の少女らしい高い声で叫《さけ》びながら入ってきた。

「ああ、ママ！　ここだと思ったわ。はい、内職代《ないしょく》。三フラン四スーよ……。ランプシェードを二十ダースも持っていったのに……」

「しいっ、静かに」母親が何度注意しても無駄《むだ》だった。

娘《むすめ》はいっこうに話をやめようとしない。そこでギャバン夫人がベッドを指さすと、デデはぴたりと黙《だま》った。少女が不安そうにドアのほうへ後ずさりするようすが、目に見えるようだ。

「このおじさん、眠《ねむ》ってるの？」デデは声をひそめてたずねた。

「そうよ。だから、外で遊んでなさい」とギャバン夫人は答えた。

しかし少女は、立ち去ろうとしなかった。なんとなく事情《じじょう》を察し、大きく目を見ひらいて、気味悪そうにぼくを眺《なが》めているのだろう。それからにわかに恐《おそ》ろしくなり、椅子《いす》をひっくり返して逃《に》げ出した。

「死んでるわ、ママ。死んでるのよ」

深い沈黙《ちんもく》があたりを包んだ。マルグリットはもう泣いていなかった。ひじ掛《か》け椅子にすわったまま、ただ打ちひしがれている。ギャバン夫人はあいかわらず部屋のなかを歩きまわりながら、声をひそめて話し始めた。

「いまどきの子供《こども》はませてるからね。この子もそう。あたしが厳《きび》しくしつけているのは、神様だってご存知《ぞんじ》よ。おつかいに出したり、仕事を届《とど》けに行かせるときは、寄《よ》り道をしていないかって時間を計っているくらいで……。だからって、どうにもなりゃしない。この子はもう、なんでもわかっている。ひと目で事情を見抜《みぬ》いてるわ。死体を見たのは一度きり、フランソワ叔父《おじ》さんが亡《な》くなったときだけなのに。それに当時は、まだ四歳にもなっていなかったのよ……。でもまあ、しかたないわね。無邪気《じゃき》な子供《こども》なんて、もういないんだわ」

ギャバン夫人はそこで言葉を切ると、いきなり話題を変えた。

「それはそうと、役所に死亡届《しぼうとどけ》を出したり、葬儀屋《そうぎや》の手配をしたりしなくては。でもその様子じゃ、とても無理そうね。あんたをひとりにして、あたしが行くわけにもいかないし……そうでしょ？　もしよかったら、シモノーさんが部屋にいるか、見てくるけれど」

マルグリットはなにも答えなかった。ぼくはこうした場面を、まるで遠くから眺《なが》めているかのように、すべてしっかりとらえていた。軽やかに燃《も》えあがる炎《ほのお》さながら、ぼくは部屋の宙《ちゅう》を飛びまわり、ベッドには見知らぬ男がぶざまにぐったりと横たわっている。できればマルグリットには、シモノーの手助けなど断《ことわ》って欲《ほ》しかった。しばらく寝《ね》こんでいるあいだ、三、四回会ったことがある。隣《となり》に住んでいて、とても世話好きな男だ。ギャバン夫人の話では、田舎《いなか》で隠居暮《いんきょぐ》らしをしていた父親が最近亡《な》くなり、その古い債券《さいけん》を回収《かいしゅう》するため、一時パリに滞在《たいざい》しているのだという。背《せ》が高くてハンサムで、がっちりとした体つき。いけ好かないやつだ。いかにも健康そうなところが、癇《かん》に障《さわ》るのだろう。昨日も部屋にやって来て、マルグリットの脇《わき》に腰《こし》かけるのを見て、ぼくはむかむかした。シモノーと並《なら》んだ妻《つま》は、肌《はだ》の白さが引きたって、とてもきれいだった。

マルグリットはにっこりと彼《かれ》に微笑《ほほえ》みかけ、わざわざお見舞《みま》いにいらしていただいてとお礼を言った。そのあいだにも、シモノーはじっと妻の顔を見つめていた。

「シモノーさんを連れて来たわよ」ギャバン夫人が戻《もど》ってきて、小声でそう言った。

ドアが静かにあいた。マルグリットはシモノーが入ってくるのを見て、再《ふたた》びわっと泣き出した。パリで男の知り合いは、ほかにいないからな。やつが来たので、また悲しみがこみあげてきたんだろう。シモノーは妻を慰《なぐさ》めようとしなかった。やつの姿《すがた》は見えないけれど、あたりを覆《おお》う闇《やみ》のなかに、その顔をくっきりと思い浮《う》かべることができた。絶望《ぜつぼう》のどん底にいる哀《あわ》れな女を前にして、困《こま》ったようにうつむいている。そしてマルグリットは、なんと美しいことか！　ほどいた金髪《きんぱつ》、青白い顔。

子供《こども》みたいに小さくてかわいらしい手が、熱で火照っている。

「なんなりとお手伝いいたしますよ、奥《おく》さん。すべて任《まか》せていただけるなら……」

とシモノーはささやくように言った。

マルグリットはとぎれとぎれに答えただけだった。シモノーがドアにむかうと、ギャバン夫人はさっとそのあとを追った。ぼくの脇《わき》を通るとき、彼女《かのじょ》がお金の話をするのが聞こえた。いろいろ物入りになるけれど、あの奥さん、一文無しなんじゃないかしら。ともかく、本人にたしかめてみなくては。するとシモノーは、余計《よけい》なことを言わないようにと釘《くぎ》を刺《さ》した。彼女に心配をかけたくない。役所の届《とど》け出と葬儀屋《そうぎや》の手配は、自分がするからと。

静寂《せいじゃく》が戻《もど》ると、ぼくは思った。こんな悪夢《あくむ》がいつまで続くのだろう？　ぼくは生きている。まわりの声やもの音は、みんな聞こえているのだから。なるほど、状況《じょうきょう》がわかり始めたぞ。これは話に聞く強硬症《カタレプシー》というやつだな。そういや子供のころ、神経《しんけい》の病気で何時間も気を失っていたことがある。きっと、そんな類の発作で体が硬直《こうちょく》し、みんなぼくが死んだものと思いこんでいるんだ。でも、いまにまた心臓《しんぞう》が打ち始め、緊張《きんちょう》がとけた筋肉《きんにく》に再《ふたた》び血液《けつえき》がめぐり出す。やがて目があいたら、マルグリットをなぐさめてあげよう。そう思ったら、がんばって我慢《がまん》する気力がわいてきた。

何時間かがすぎた。ギャバン夫人が昼食を運んできたけれど、マルグリットはなにも食べようとしなかった。こうして午後のひとときも終わった。開け放した窓《まど》から、ドーフィーヌ通りの喧騒《けんそう》が聞こえる。大理石のナイトテーブルに置いた銅《どう》の燭《しょく》台《だい》が、かちかちと軽いもの音を立てているのは、ロウソクを代えているからだろう。ようやくシモノーが戻ってきた。

「それで?」ギャバン夫人が声をひそめてたずねる。

「すべて片《かた》づきました」とシモノーは答えた。「葬儀《そうぎ》は明日、十一時からです。ご心配なく。奥さんの前ではこうした話をしないでください。おかわいそうですから」

それでもギャバン夫人はこう続けた。

「検死医《けんし》がまだ来てないのよね」

シモノーはマルグリットの脇《わき》に腰《こし》かけ、励《はげ》ましの言葉をかけると、そのまま黙《だま》りこんだ。葬儀《そうぎ》は明日、十一時。このひと言が、ぼくの頭に弔鐘《ちょうしょう》のように鳴り響《ひび》いた。でも、ギャバン夫人の言う検死医とやらが、遅《おく》ればせながらやって来れば、ぼくが嗜眠状態《しみんじょうたい》にあるとひと目でわかるだろう。必要な処置《しょち》をほどこし、覚醒《かくせい》させてくれる。ぼくは医者の到着《とうちゃく》を心待ちにした。

そうこうするうちに日が暮《く》れた。ギャバン夫人は時間を無駄《むだ》にしないよう、内職《ないしょく》のランプシェードを運びこんだ。さらにはマルグリットの許《ゆる》しを得たうえで、デデも連れてきた。子供《こども》をいつまでもひとりにしておきたくないからと。

「さあ、入っておいで」ギャバン夫人はそう小声で言うと、娘《むすめ》を部屋に入れた。「おとなしくしてなさい。あっちを見ちゃいけないからね。さもないと、お仕置きだよ」

じろじろとぼくを眺《なが》めるのははしたないからと、ギャバン夫人は娘に言った。けれどもデデは横目で盗《ぬす》み見していたらしく、母親が腕《うで》を平手打ちする音がした。そして怒声《どせい》が響く。

「ちゃんと仕事をしなさい。追い出されたいの。夜中にこのおじさんが、足を引っぱりに来るわよ」

母《はは》と娘《むすめ》はふたりしてテーブルの前に陣取《じんど》り、ランプシェードを切り取り始めた。ちょきちょきというハサミの音が、はっきりと聞こえる。それはとても注意を要する、複雑《ふくざつ》な仕事なのだろう。ひとつ切り終えるにも、ずいぶん時間がかかっていた。ぼくはいや増《ま》す不安を紛《まぎ》らわそうと、裁断《さいだん》されたランプシェードを数えあげた。

部屋にハサミの音だけが続いた。マルグリットは疲《つか》れ果て、うとうとしているようだ。二度続けて、シモノーが立ちあがった。ぼくは気が気じゃなかった。あいつめ、マルグリットが眠《ねむ》っているのをいいことに、髪《かみ》にそっと口づけしようとしているんじゃないか。どんな男かはよく知らないが、どうも妻《つま》に気があるようだ。デデの笑い声で、ぼくの苛立《いらだ》ちは最高潮《さいこうちょう》をむかえた。

「何を笑ってるの?」と母親がたずねる。「外に出すわよ……。さあ、どうして笑ったのかおっしゃい」

少女はもごもごと答えた。笑ったんじゃなく、咳《せき》をしただけよ。でも、ぼくは思った。シモノーがマルグリットのほうへ身を乗り出すのが見えたんだ。デデには、それがおかしかったのだろう。

ランプが灯されるころになって、ノックの音がした。

「ああ、やっとお医者さんが来たんだわ」ギャバン夫人が言った。

はたしてそれは、医者だった。こんなに遅《おそ》くなったのに、詫《わ》びの言葉もなかった。一日中、あちこちの家を駆《か》けまわり、階段《かいだん》をのぼったり降《お》りたりしていたんだな。

ランプの明かりひとつで部屋が薄暗《うすぐら》かったので、医者はこうたずねた。

「ご遺体《いたい》はここに?」

「はい、先生」とシモノーが答える。

マルグリットは震《ふる》えながら立ちあがった。子供《こども》が見るものじゃないと、ギャバン夫人は娘《むすめ》を部屋の外に出した。それからマルグリットを、必死に窓辺《まどべ》へ引っぱっていった。検死《けんし》の場面を、彼女《かのじょ》の目に触《ふ》れさせせまいとしたのだ。そうこうするあいだに、医者は早足で近寄《ちかよ》ってきた。疲《つか》れているのがよくわかる。さっさとすませて、帰りたいのだ。結局医者は、ろくすっぽ触診《しょくしん》もしなかった。心臓《しんぞう》のうえにすら、手をあてたかどうか。ただ無関心そうに、身を乗り出しただけだったような気がする。

「ランプを持って、照らしましょうか？」シモノーが気をきかせてたずねた。

「いや、その必要はない」医者は悠然《ゆうぜん》と答えた。

なに！　必要ないだって！　ぼくの生死はこの男にかかっているというのに、じっくり調べる必要はないっていうのか。ぼくは死んでなんかいない。死んでないんだと、大声で叫《さけ》びたかった。

「お亡《な》くなりになったのは、何時ごろ？」医者は続けた。

「朝の六時です」とシモノーが答えた。

恐《おそ》ろしいくびきに捕《と》らわれたぼくのなかに、むらむらと怒《いか》りがわきあがってきた。

ああ、口がきけない、体が動かせないっていうのは、なんてつらいんだろう！

医者は続けた。

「うっとうしい天気だったからな……。こういう春先の気候ほど、体にこたえるものはない」

そして医者は離《はな》れていった。命が消え去ろうとしている。叫《さけ》び、涙《なみだ》、罵倒《ばとう》が、ひきつったぼくの喉《のど》を引き裂《さ》いた。それなのに、吐息《といき》ひとつ出てこない。ああ、ヤブ医者め、なんて情《なさ》けないやつだ。毎日、同じ仕事をこなすだけの機械になりさがっているんだな。死の床《とこ》を訪《おとず》れるときも、書類を埋《う》めることしか考えていないのだろう。あんな男に何がわかる。でたらめな知識《ちしき》しかないくせに。生きているのか死んでいるのか、ひと目で見わけられもせず、さっさと行ってしまうなんて。

「それじゃあ、お休みなさい、先生」とシモノーが言った。

沈黙《ちんもく》が続いた。マルグリットが窓辺《まどべ》から引き返してくると、医者は彼女《かのじょ》に一礼した。ギャバン夫人は窓《まど》を閉《し》めている。医者が部屋を出て、階段《かいだん》を降《お》りていく足音が聞こえた。
もう終わりだ。死刑《しけい》が宣告《せんこく》された。あの男とともに、最後の希望もなくなった。明日、十一時までに覚醒《かくせい》しなければ、生きたまま埋められてしまう。そう思ったら恐怖《きょうふ》のあまり、周囲のことが意識《いしき》から吹《ふ》き飛んだ。死んだあと、さらに気を失うかのように。最後にぼくの耳に届《とど》いたのは、ギャバン夫人とデデがハサミを動かす小さなもの音だった。通夜が始まった。誰《だれ》も口をきこうとしない。マルグリットは隣《となり》の部屋で寝《ね》るのを断《ことわ》り、ひじ掛《か》け椅子《いす》に深々《ふかぶか》と体をあずけた。蒼《あお》ざめた美しい顔、閉《と》じた目、まだ涙で濡《ぬ》れた睫毛《まつげ》。その前に腰《こし》かけたシモノーは、暗闇《くらやみ》のなかで彼女をじっと見つめている。

3

翌日《よくじつ》の午前中、ぼくの不安はいかばかりだったことか。いつまでも覚めない恐《おそ》ろしい悪夢《あくむ》に、うなされているような気分だった。あのときの一種異様《いよう》な感覚は、言葉ではうまく言いあらわせない。突然《とつぜん》の覚醒《かくせい》をまだ期待していただけに、責《せ》め苦はいっそう苛酷《かこく》だった。葬儀《そうぎ》の時間が近づくにつれ、胸《むね》は恐怖《きょうふ》で張《は》り裂《さ》けそうになった。

　夜が明けると、周囲の出来事や人のようすがようやくまた感じとれるようになった。イスパニア錠《じょう》がガチャガチャと鳴る音でまどろみから覚めた。ギャバン夫人が窓《まど》をあけたんだな。朝の七時ごろだろうか、通りで行商人が呼《よ》びこみをしている。ハコベを売る少女のか細い声、ニンジン、ニンジンと繰《く》り返すしゃがれ声。こんな騒々《そうぞう》しいパリの目覚めに、ほっと気持ちが安らいだ。活気に満ちた町の真ん中で、生き埋《う》めにされるなんてありえないじゃないか。ひとつ思い出したこともあって、ぼくはすっかり安心した。そういやゲランドの病院で働いていたころ、ぼくとよく似《に》たケースを目にしたことがある。入院中の男が、二十八時間眠《ねむ》り続けたのだ。あんまりぐっすり眠っていたものだから、医者もどう対処《たいしょ》したものか決めかねた。

やがて男はむっくりと体を起こし、すぐに立ちあがった。ぼくはもう二十五時間寝《ね》たきりだから、あと三時間、十時ごろまでに目覚めればまだ間に合う。

部屋に誰《だれ》がいるのか、何をしているのかをとらえようと、ぼくは耳を澄《す》ました。デデは踊《おど》り場で遊んでいるらしい。ドアがあくたび、部屋の外から子供《こども》の笑い声が聞こえてくるから。シモノーはまだ来ていないのだろう。それらしいもの音はまったくしなかった。ギャバン夫人が古スリッパで、床《ゆか》を歩きまわる足音だけが響《ひび》いている。ようやく、話し声がした。

「ねえ、あんた」とギャバン夫人が言った。「冷めないうちに飲んだほうがいいわよ。元気が出るから」

マルグリットに話しかけているのだろう。暖炉《だんろ》のうえあたりから、ぽたぽたと水がしたたる音がする。そうか、コーヒーをいれているんだ。

「言っちゃなんだけど」とギャバン夫人は続けた。「あたしはこれがないとね……。この歳《とし》になると、徹夜《てつや》はきついんだよ。家に不幸があったときちゃ、夜中は気が滅《め》入《い》るし……。さあ、あんたもお飲みなさい。ひと口でいいから」

ギャバン夫人はマルグリットにコーヒーを飲ませた。

「どうだい？　温かくて、目が覚めるだろ。今日一日を乗り切るには、気力が要るからね……。さあ、おとなしくあたしの部屋に行き、そこで待ってなさい」

「いえ、ここにいます」マルグリットはきっぱりと答えた。

昨日からずっと聞いていなかった妻《つま》の声に、ぼくは胸《むね》を打たれた。とても彼女《かのじょ》のものとは思えない、苦しみに打ちひしがれた声だった。ああ、愛おしい妻！　彼女がそばにいてくれる。彼女の気配が感じられる。それが最後の慰《なぐさ》めだ。マルグリットはぼくをじっと見つめ、心底涙《なみだ》に暮《く》れているはずだ。

時は刻々《こくこく》とすぎていく。ドアのあたりでもの音がしたけれど、すぐには何の音かわからなかった。狭《せま》い階段《かいだん》の壁《かべ》に、引っ越《こ》しの荷物がぶつかったのだろうか？　マルグリットがまたもや泣き出すのを聞いて、はっと気づいた。そうか、棺桶《かんおけ》が届《とど》いたんだ。

「早すぎるわよ」とギャバン夫人は不機嫌《ふきげん》そうに言った。「ベッドのうしろに置いてちょうだい」

それじゃあ、今、何時なんだろう？　九時ごろだな、きっと。なのに、もう棺桶が運ばれてくるなんて。鉋《かんな》をかけたばかりの真新しい木の箱が、深い闇《やみ》のなかに見えるようだ。ああ、神様。いよいよ万事休すなのか？　足もとに置かれた棺桶に、ぼくは入れられてしまうのか？

しかし、喜びでいっぱいになることもあった。マルグリットが疲《つか》れきった体で、最後の世話をしてくれたから。彼女はギャバン夫人の助けを借りながら、やさしくぼくを着がえさせた。一枚《まい》服をかえるたび、彼女の腕《うで》に抱《いだ》かれる感触《かんしょく》を味わうことができた。ときおりマルグリットは感極まって手を止め、力いっぱいぼくを抱《だ》きしめた。そして流れ落ちる涙で、ぼくを濡《ぬ》らすのだった。できることなら、抱きしめ返してあげたかった。「死んでなんかいない」と叫《さけ》びたかった。けれどもぼくは力なく、ぐったりと横たわったままだった。

「やめときなさいな。そんなことしても、なんにもならないわ」ギャバン夫人はなん度も繰《く》り返した。

するとマルグリットは、声をつまらせながら答えた。

「好きにさせてください。わたしたちが持っている、いちばんいい服を着せてやりたいんです」

ああ、結婚式《けっこんしき》の衣装《いしょう》を着せるつもりなのか。パリでも特別な日には使うだろうと思い、取っておいたのだ。マルグリットは着がえの作業に疲《つか》れ果て、ひじ掛《か》け椅子《いす》にすわりこんだ。

とそのとき、シモノーの声がした。ちょうど入ってきたところらしい。

「もう下に来てます」と彼《かれ》は小声で言った。

「あら、そう。だったら、早すぎってわけでもなかったのね」ギャバン夫人も声をひそめて答えた。「あがってくるよう、言ってちょうだい。さっさとすませましょう」

「奥《おく》さんがおつらいだろうと、心配なんですが」

ギャバン夫人はしばらく考えてから、こう言った。

「だったら、シモノーさん、あなたの部屋に連れてったら？　力ずくでもしかたないわ。彼女《かのじょ》のためだから。ともかく、ここにいないほうがいいわね……。そのあいだに、こっちはさっさとすませられるし」

この言葉に、胸《むね》がどきりとした。やがて激《はげ》しい押《お》し問答が始まると、頭がどうかなりそうだった。シモノーがマルグリットのもとへ歩み寄《よ》り、席をはずすようにと懇願《こんがん》している。

「お願いですから、わたしといっしょに来てください。なにも好きこのんで、つらい思いをすることありません」

「いえ、嫌《いや》です。ここにいます」と妻《つま》は繰り返した。「最後まで、見届《みとど》けさせて。わたしには、この人しかいないんです。彼がいなくなったら、ひとりぼっちになってしまうわ」　そのあいだにもベッドの脇《わき》で、ギャバン夫人がシモノーに耳打ちをする。

「さあ、押さえつけて、連れていってしまいなさい」

シモノーのやつ、マルグリットにつかみかかって、無理やり運び出すつもりなんだな。すぐに妻《つま》の叫《さけ》び声がした。ぼくは怒《いか》りのあまり、思わず立ちあがろうとしたけれど、体のバネは切れたままだった。目の前で何が起きているのか確《たし》かめたくても、全身が固まりついて瞼《まぶた》をあげることもできない。ふたりの争いは続いた。妻は家具にしがみつき、こう繰《く》り返した。

「ああ、やめてください。後生ですから、手を放して……」

シモノーはたくましい腕《うで》で、マルグリットをがっちり捕《つか》まえているのだろう。彼女《かのじょ》は子供《こども》みたいにか細いうめき声をあげるばかりだった。とうとうやつは妻を連れていってしまった。すすり泣きが遠くなる。忌《い》まわしい光景が目に浮《う》かぶようだ。屈強《くっきょう》な大男が妻を胸《むね》に抱《だ》き寄《よ》せ、部屋から引きずり出していく。妻はもう抗《あらが》う気力もなく、ただめそめそと泣きながら、男の意のままに連れ去られる。

「やれやれ、ひと苦労ね」とギャバン夫人はつぶやいた。「さてと、ようやくいなくなってくれたわ」

怒りと嫉妬《しっと》で、かっと頭に血がのぼった。ひどいじゃないか、こんなこと。妻は拉致《らち》されたも同然だ。昨日から彼女の顔こそ見られなかったものの、まだ声は聞くことができたのに、それももう終わりだ。埋葬《まいそう》されないうちに、妻を奪《うば》われてしまった。シモノーはといえば、壁《かべ》一枚隔《まいへだ》てた隣室《りんしつ》でマルグリットとふたりきり。彼女をなぐさめているのだろうか？　もしかしたら、キスしているかも！

再《ふたた》びドアがあき、どたどたという足音が部屋に入ってきた。

「さあ、さあ、急いで」とギャバン夫人は言った。「奥《おく》さんがいつなんどき戻《もど》ってくるかもしれないから」

誰《だれ》に話しかけているのかわからなかったけれど、相手はなにかぶつぶつと答えただけだった。

「あたしは隣《となり》に住んでいるだけで、べつに身内ってわけじゃないのよ。こんなことしたって、一文の得にもならないけど、親切で手伝ってあげているの。そりゃまあ、嫌なものよ……。ええ、ひと晩じゅう起きてたけど、明け方の四時ごろなんか、ぐっと冷えこんで。馬鹿《ばか》よね、あたしも。人がいいにもほどがあるわ」

　そして棺桶《かんおけ》が、ずるずると部屋の真ん中に移《うつ》された。ついに命運が尽《つ》きたらしい。この期に及《およ》んでも、体は硬直《こうちょく》したままなのだから。頭が混乱《こんらん》していた。黒煙《こくえん》のなかで、すべてがぐるぐると渦《うず》を巻《ま》いている。ぼくはすっかり疲《つか》れ果てていた。もう、なにもあてにできないんだと思うと、かえって気が楽になるくらいだった。

「たっぷり板を使ったんで、少しばかり大きすぎたかな」と葬儀屋《そうぎや》のひとりが、しわがれ声で言った。

「いいじゃないか。なかでゆっくりくつろいでもらうさ」もうひとりが笑って答える。

　ぼくはあまり重くなかったので、葬儀屋は喜んでいた。なにしろ、四階から降《お》ろさなくてはならないのだ。ふたりはぼくの肩《かた》と足をつかんだ。そのとき突然《とつぜん》、ギャバン夫人が怒鳴《どな》った。

「こら、だめよ！　なんにでも首を突《つ》っこみたがって。待ってなさい。あとで小窓《こまど》から見せてあげるから」

ぼさぼさの髪《かみ》をしたデデがドアを細目にあけ、顔をのぞかせたのだ。おじさんの死体が棺桶に入れられるところを、見たいっていうんだな。強烈《きょうれつ》な平手打ちの音が二度響《ひび》き、わっと泣き出す声がした。ギャバン夫人はこちらに戻《もど》ってくると、ぼくを棺桶に納《おさ》めている男たち相手に、娘《むすめ》の愚痴《ぐち》をこぼし始めた。

「十歳《さい》になるのよ。悪い子じゃないんだけど、好奇心旺盛《こうきしんおうせい》っていうか……。もちろん、毎日叩《たた》いてなんかいないわ。ぴしっと言わなきゃいけないときだけ」

「でも、ほら」と葬儀屋のひとりが言った。「女の子はみんなそうですよ……。どこかで死人が出ると、必ず集まってくるんです」

ぼくはゆったりと横たわっていた。まだベッドのうえにいるのかと思うくらいだった。左腕《ひだりうで》は少し側板に押《お》しつけられているけれど、狭苦《せまくる》しい感じはまったくしない。葬儀屋が言っていたとおり、小柄《こがら》な体格《たいかく》のおかげで、棺桶のなかでも快適《かいてき》だ。

「ちょっと待って」とギャバン夫人が叫《さけ》んだ。「頭の下に枕《まくら》をあてるって、奥《おく》さんに約束したんだったわ」

けれども男たちは急いでいるらしく、ぼくを力まかせに動かして枕《まくら》を突《つ》っこんだ。ひとりが、あちこち金槌《かなづち》を捜《さが》しまわっている。くそっ、下に忘《わす》れてきたんだ！　取りにいかなくちゃ、と毒づきながら。棺桶《かんおけ》のふたが閉《し》められた。一本目の釘《くぎ》がとんとん打ちこまれ、振動《しんどう》が全身に伝わった。もう終わりだ。ぼくはまだ、生きているのに。金槌のリズミカルな音が響《ひび》き、二本目、三本目とすばやく釘が打たれていく。まるで荷造《にづく》り係がドライフルーツの箱にふたを釘づけするみたいに、気楽で手際《てぎわ》のいい調子で。やがて外のもの音はくぐもって、わんわんとおかしな具合に反響《はんきょう》し始めた。樅《もみ》の木の棺桶が、巨大《きょだい》な共鳴箱と化したかのようだ。ドーフィーヌ通りのこの部屋で、ぼくが最後に耳にしたのは、ギャバン夫人の次のようなひと言だった。

「そっと降《お》ろしてちょうだいな。三階の手すりに気をつけて。ぐらぐらしているから」

こうしてぼくは運び出された。荒波《あらなみ》に揺《ゆ》られているみたいな感じだった。このあたりから記憶《きおく》が曖昧《あいまい》になってくる。けれどもひとつだけ、注意していたことがあった。馬鹿《ばか》みたいな話だが、墓地《ぼち》へ行くまでの道を無意識《むいしき》のうちに追っていたのだ。パリの通りがどこをどう走っているのか、ぼくには皆目《かいもく》見当がつかない。名前だけは聞いたことのある大墓地も、正確《せいかく》な位置はわからない。それでも必死に頭を働かせ、右に曲がったのか左に曲がったのかを判別《はんべつ》しようとした。石畳《いしだたみ》を走る霊柩車《れいきゅうしゃ》の振動が伝わってくる。周囲から聞こえる馬車の騒音《そうおん》や歩行者の足音が一体となって、棺桶のなかに大きく響いた。はじめはわりにはっきりと、道筋《みちすじ》をたどることができた。やがて霊柩車が止まり、棺桶が動かされた。そうか、今、教会にいるんだな。しかし再《ふたた》び霊柩車が動き出すと、いったいどのあたりを走っているのか、さっぱりわからなくなった。鐘《かね》の音《ね》が聞こえるからには、近くに教会があるはずだ。車輪の揺れはおさまって、快調《かいちょう》に飛ばしている。ということは、遊歩道沿《ぞ》いを進んでいるらしい。ぼくは処刑場《しょけいじょう》に送られる死刑囚《しけいしゅう》のようなものだった。いまだ訪《おとず》れない最後の一撃《いちげき》を、ただ茫然《ぼうぜん》と待っている死刑囚だ。

4

霊柩車が止まり、ぼくはおろされた。てっとり早く、ぞんざいに片《かた》づけられた。あたりの騒音《そうおん》はやんでいた。人気《ひとけ》のない木の下。頭上には、大空が広がっている。シモノーたちアパートの住人も、葬列《そうれつ》についてきたのだろう。がやがやという話し声が聞こえてくるから。聖書《せいしょ》の一節が読みあげられ、司祭がラテン語でなにか唱えた。そんなこんなが二分間ほど続いたあと、いきなり穴《あな》に落ちていく感じがした。弓のようにぴんと張《は》ったロープが棺桶《かんおけ》の四隅《よすみ》にこすれて、壊《こわ》れたコントラバスさながらの低い音をたてた。それで終わりだった。大砲《たいほう》を撃《う》ちこまれたかのような恐《おそ》ろしい衝撃《しょうげき》が、頭のやや左側で炸裂《さくれつ》するや、今度は足のあたりがどすんと揺《ゆ》れた。そしてもう一発、さらに大きな振動《しんどう》が腹《はら》を直撃《ちょくげき》し、棺桶が砕《くだ》けたかと思うほどの轟音《ごうおん》が響《ひび》いて、ぼくは気を失った。

どれくらいの時間、そうしていたのだろう？　はっきりとはわからない。すべてが消えてなくなれば、永遠《えいえん》だろうが一瞬《いっしゅん》だろうが同じことだ。ぼくはもう存在《そんざい》していないのだから。おぼろげながら、徐々《じょじょ》に意識《いしき》が戻《もど》ってきた。ぼくはまだここにいる。あいかわらず眠《ねむ》ったまま、夢《ゆめ》を見始めた。目の前をふさぐ真っ暗な闇《やみ》の奥《おく》から、悪夢《あくむ》がむくむくとわきあがってくる。それは目覚めているときにもぼくを苦しめ続けた、奇妙《きみょう》な想像《そうぞう》の産物だった。昔からぼくには恐ろしい出来事を妄想《もうそう》する癖《へき》があって、大惨事《さんじ》を思い描《えが》いては恐怖《きょうふ》の快感《かいかん》に浸《ひた》っていた。

かくしてぼくの頭には、こんな想像が繰《く》り広げられるのだった。どこかゲランドらしき場所で、妻《つま》がぼくを待っている。ぼくは列車に乗って、彼女《かのじょ》のもとへむかっている。列車がトンネルのなかを走っているとき、雷《かみなり》が落ちたかのような恐ろしいもの音が、突然《とつぜん》あたりに鳴り響く。どこか二か所で、崩落事故《ほうらくじこ》が起こったのだ。列車には石ころひとつあたらず、なんの損傷《そんしょう》もない。ただトンネルの両端《りょうたん》、つまりぼくたちの前と後ろで天井《てんじょう》が崩《くず》れ落ち、大きな岩に塞《ふさ》がれて、列車は山の真ん中に閉《と》じこめられてしまった。それは長く恐ろしい苦しみの始まりだった。救助は期待できない。トンネルを塞《ふさ》ぐ岩をどけるには、一か月はかかるだろう。しかも強力な機械を使い、慎重《しんちょう》に作業を進めねばならない。ぼくたちは、出口のない洞窟《どうくつ》に閉《と》じこめられたようなものだった。全員が死ぬのは、もはや時間の問題だ。

そう、もう一度言うけれど、ぼくはこの恐《おそ》ろしい状況《じょうきょう》を繰《く》り返し想像《そうぞう》した。数えきれないほど悲劇《ひげき》のヴァリエーションを作り、登場人物も男、女、子供《こども》と総勢《そうぜい》百名を超《こ》えた。彼《かれ》らがみんな一団《いちだん》となって、絶《た》えず新たなエピソードを生み出した。列車にはなにがしかの食料があったけれど、たちまち底をついてしまう。腹《はら》をすかした哀《あわ》れな人々《ひとびと》は、共食いこそしないまでも、最後に残ったひとかけらのパンをめぐって情《なさ》け容赦《ようしゃ》ない争いを始める。殴《なぐ》られた老人は罵声《ばせい》をあげ、母親は子供のためにとっておいたわずかな食べ物を守ろうと、雌狼《めすおおかみ》のように闘《たたか》っている。ぼくのいる車両では、若《わか》い夫婦《ふうふ》が抱《だ》き合い、喘《あえ》いでいた。すでに生きる希望を失い、ただじっとしている。線路におりるのも好き勝手だった。人々は獲物《えもの》を求め、放たれた獣《けもの》のように列車のまわりをうろついた。一等車も三等車も関係ない。大金持ちや高級官《かん》僚《りょう》が労働者の首にしがみつき、泣きながら親しげに話しかけた。ランプの明かりは数時間で切れ、機関車の火もついには消えてしまった。車両から車両へ移動《いどう》するときは、ぶつからないように車輪を手探《てさぐ》りしながら進んだ。ようやく先頭の機関車までたどり着くと、連結棒《れんけつぼう》はすでに冷たく、巨大《きょだい》な脇腹《わきばら》は眠《ねむ》りこんでいる。こうして彼らは知るのだった。もはやそれは暗闇《くらやみ》のなかに黙《だま》ってたたずむ、無用の長物なのだと。地中に閉じこめられ、生き埋《う》めになった列車ほど恐ろしいものはない。やがて乗客たちは、ひとり、またひとりと死んでいく。

ぼくはとても細かなところまで、嬉々《きき》として想像を巡《めぐ》らせた。視界《しかい》を遮《さえぎ》る闇《やみ》から、うめき声が聞こえてくる。すぐ隣《となり》に人がいたなんて、いままで気づかなかったのに、いきなり誰《だれ》かが肩《かた》にのしかかってきた。けれど、とりわけぼくを苦しめているのは、寒さと空気不足だった。こんな寒さは初めてだ。雪のコートが肩を覆《おお》い、じっとりとした湿気《しっけ》が頭上に降《ふ》り注いだ。おまけに息苦しくてたまらない。石の天井《てんじょう》が胸《むね》のうえに崩《くず》れ落ち、山がのしかかってぼくを押《お》しつぶそうとしている。そうこうするうちに、解放《かいほう》の叫《さけ》びが響《ひび》きわたった。前からずっと、遠くで鈍《にぶ》いもの音が聞こえるような気がしていた。きっとどこかで作業をしているのだと、みんな微《かす》かな希望にすがろうとした。けれども救いが訪《おとず》れたのは、そちらからではなかった。仲間のひとりがトンネルのなかに、小さな穴《あな》をみつけたのだ。ぼくたちはみんな駆《か》け寄《よ》り、空気が流れこんでくるその穴を見あげた。穴のむこうに、固形糊《のり》くらいの大きさの青い丸が見えた。ああ、なんという喜び！　あの青い丸は空じゃないか。ぼくたちは穴にむかって背伸《せの》びをし、思う存分《ぞんぶん》空気を吸《す》った。動きまわる小さな黒い点も、はっきりと見える。あれはきっと救出作業のため、ウィンチを設置《せっち》している人たちだ。喧騒《けんそう》があたりを包んだ。「助かった、助かった」とみんな口々《くちぐち》に叫び、青い小さな丸にむかって手を振《ふ》りあげている。

そんなものすごい大騒《さわ》ぎで目が覚めた。ここはどこだ？　まだトンネルのなかしいな。ぼくは長々《ながなが》と寝《ね》そべっている。左右両側から、硬《かた》い壁《かべ》が脇腹《わきばら》を圧迫《あっぱく》した。

体を起こそうとしたら、思いきり頭をぶつけた。それじゃあ、まわりをすべて岩に取り囲まれているんだろうか？　青い穴は消えてしまった。いくら遠くへ目を凝《こ》らしても、もう空は見えない。あいかわらず、息苦しかった。ぼくは悪寒に襲《おそ》われ、歯がかちかちと鳴った。

突然《とつぜん》、記憶《きおく》がよみがえり、恐怖《きょうふ》で髪《かみ》が逆立《さかだ》った。おぞましい真実がつま先から頭のてっぺんまで走り抜《ぬ》け、体がぞっと凍《こお》りつく。何時間も死体のように硬直《こうちょく》し続けた末、やっといま、あの失神状態《じょうたい》から抜け出したのだろうか？　そう、体が動く。棺桶《かんおけ》の板に沿《そ》って、手探《てさぐ》りもできる。あともうひとつ、確《たし》かめてみなければ。ぼくは口をひらき、なにか言ってみた。無意識《むいしき》のうちに、マルグリットの名を呼《よ》んでいた。ぼくは必死にわめいた。けれども、樅《もみ》の木の箱に響くのは、自分でもぞっとするような、恐《おそ》ろしいしゃがれ声だった。ああ、やっぱりそうなんだ。ぼくは歩ける、生きているんだと叫ぶこともできる。なのにその声は、誰《だれ》にも届《とど》かない。地中深く、埋《う》められてしまったのだから。

落ち着け。考えるんだ。ぼくは必死の努力をした。ここから抜け出る方法はないだろうか？ 悪夢《あくむ》がまた始まった。まだ頭がまともに働いていない。丸い空気穴《あな》やそこからのぞく青空が脳裏《のうり》に浮《う》かんで、息苦しい墓穴《はかあな》に閉《と》じこめられている現実《げんじつ》と混《ま》ざり合った。目をかっと見ひらいて、暗黒を凝視《ぎょうし》する。どこかに穴が、裂《さ》け目が、光の滴《しずく》が見えるはずだ。けれども闇《やみ》のなかには、ぱちぱちと火花が散っているだけだった。赤い光が大きくなり、やがて消えていった。あとにはただ、底知れぬ黒い淵《ふち》が広がっている。やがて正気が戻《もど》ってくると、馬鹿《ばか》げた悪夢をふり払《はら》った。助かりたかったら、しっかり考えなくては。なんといってもいちばん危険《きけん》なのは、息苦しさがどんどん増《ま》していることだ。限《かぎ》られた空気のなかでも、これまでずっと持ちこたえられたのは、生命活動が一時中断《ちゅうだん》し、仮死状態《かしじょうたい》にあったからだろう。しかし心臓《しんぞう》が再《ふたた》び動き始め、肺《はい》が息を吹《ふ》き返したいま、大急ぎで脱出《だっしゅつ》しなければ、ほどなく窒息死《ちっそくし》してしまう。しかも全身、冷えきっている。雪に埋《う》もれて体が麻痺《まひ》した人のように、このまま起きあがれなくなってしまうかもしれない。

ともかく落ち着かなければ、と何度も自分に言い聞かせた。頭が混乱《こんらん》し、気が変になりそうだった。さあ、がんばれ。埋葬《まいそう》の方法について、知っていることを思い出してみるんだ。ぼくが埋葬されたのは、おそらく五年契約《けいやく》の区画だろう。そいつはまずいぞ。前にナントの共同墓穴で、何度も繰《く》り返している盛《も》り土から、新しく埋めた棺桶《かんおけ》の端《はし》が覗《のぞ》いているのを目にしたことがある。それなら棺桶の板を破《やぶ》るだけで、外に出られるけれど、もし地中にすっぽり埋められたのだとしたら、分厚《ぶあつ》い土の層《そう》がぼくのうえに覆《おお》いかぶさっていることになる。これは手ごわい障害《しょうがい》だ。パリでは二メートルほどの深さに埋葬するという話を、聞いたような気がする。そんなにおびただしい土塊《つちくれ》のなかを、どうやって突《つ》き抜《ぬ》けたらいいんだ？　たとえ棺桶のふたを破ることができても、土が崩《くず》れ落ちてきて、細かな砂《すな》のように目や口をふさいでしまうのでは？　そして、結局は死ぬんだ。泥《どろ》に埋もれて窒息《ちっそく》するなんて、なんておぞましい死に方だろう。

そんなことを考えながらも、ぼくは周囲を注意深く手探《てさぐ》りしていた。棺桶は大きかったので、容易《ようい》に腕《うで》を動かせた。ふたに裂け目らしいものはない。左右の側板は粗削《あらけず》りだけれど、いくら押《お》せどもびくともしなかった。胸《むね》に沿《そ》って腕《うで》を曲げ、頭のほうにあげてみる。すると板の端《はし》に、押すと軽くへこむ節《ふし》が見つかった。四苦八苦のすえに、ようやく節をくりぬいた。指を突《つ》っこむと、濡《ぬ》れてねっとりと粘《ねば》り気のある土に触《ふ》れた。けれども、それ以上の進展《しんてん》はなかった。もしかして、節穴《ふしあな》から土が入ってくるかもしれない。そう思って、後悔《こうかい》さえした。それからまた、別の試みにかかった。棺桶《かんおけ》の外に空洞《くうどう》がないかと、左右の板をひととおり叩《たた》いてみたものの、音はどこも同じだった。足もとを軽く蹴《け》ってみると、なんだか少し澄《す》んだ音がする。でも、木の響《ひび》き具合が違《ちが》うだけなのかもしれない。

腕を前に伸《の》ばし、拳《こぶし》でふたを軽く押したけれど、少しも動く気配はない。そこで今度は、膝《ひざ》を使うことにした。いくら足と腰《こし》をふんばっても、やはりびくともしなかった。ぼくはとうとう全身で、力いっぱい押した。あんまりぐいぐいやったので、骨《ほね》が折れかけ悲鳴をあげた。その瞬間《しゅんかん》、ついにぼくは分別を失くした。

酔《よ》いがまわるみたいに怒《いか》りがこみあげ、眩暈《めまい》がしてくるのにも、それまではなんとか耐《た》えてきた。とりわけ叫《さけ》び出すのだけはやめようと、じっと我慢《がまん》をした。叫んだら終わりだと、わかっていたから。なのに突然《とつぜん》ぼくはわめき、絶叫《ぜっきょう》し始めた。もう、どうにも押《おさ》えがきかなかった。絞《しぼ》り出すようなうめき声が、喉《のど》から漏《も》れる。助けを求めるその声は、自分のものとは思えなかった。死にたくないと、ぼくは訴《うった》え続けた。大声で叫ぶたび、ますます逆上《ぎゃくじょう》はつのった。爪《つめ》で棺桶をひっかき、閉《と》じこめられた狼《おおかみ》みたいに体を引きつらせ、身もだえした。そんな発作が、どのくらい続いただろうか？　それはわからないけれど、どんなにもがき苦しもうと無慈悲《むじひ》に立ちふさがる板の感触《かんしょく》は、今でもまざまざと思い出せる。棺桶のなかいっぱいに響くぼくの叫びとすすり泣きが、まだ聞こえるかのようだ。わずかに残った理性《りせい》のなかで、ぼくは思った。いけない、自分を抑《おさ》えなければ。でも、そんなこと、とうていできなかった。

そのあと、いっきに気持ちが落ちこみ、ぐったりと横たわったままただ死を待った。棺桶は、まるで石でできているかのようだ。これを打ち破《やぶ》るなんて、とうていできやしない。負けが決まったのだと思うと、新たな努力をする意欲《いよく》もなくなった。寒さと息苦しさに加え、空腹《くうふく》にも苛《さいな》まれ始めた。やがて責《せ》め苦は耐《た》えがたいほどになった。くりぬいた節穴《ふしあな》から指で土をほじくり、口に入れた。しかしそんなことをしても、苦しみが増《ま》すだけだった。自分の肉でもいいから食べたいと、腕《うで》にかじりついた。血こそ出なかったものの、歯を立てたいと思いながら皮膚《ひふ》を吸《す》った。

ああ、このときぼくは、どれほど死を願っただろう。自分が消えてなくなるのが、ずっと怖《こわ》くてしかたなかった。なのに今は、それを切に願っている。死を求め、渇《かつ》望《ぼう》している。こんなに真っ暗な虚無《きょむ》を前にすることは、もう二度とないだろう。夢《ゆめ》ひとつ見ない眠《ねむ》り。永遠《えいえん》に続く闇《やみ》と静寂《せいじゃく》。そんなものに怯《おび》えるなんて、子供《こども》じみているじゃないか。死ねば一瞬《いっしゅん》にして、すべてがなくなる。だからこそ、死はすばらしいんだ。石ころのように眠り、土塊《つちくれ》に還《かえ》る。あとにはもう、なにも残らない。

それでもぼくは無意識《むいしき》のうちに、棺桶《かんおけ》を手探《てさぐ》りし続けていた。突然《とつぜん》、左手の親指にちくりと軽い痛《いた》みが走り、麻痺《まひ》しかけていた頭がはっきりした。これは何だろう？ もう一度手で探《さぐ》ると、釘《くぎ》だとわかった。葬儀屋《そうぎや》が斜《なな》めに打ちこんだせいで、棺桶の端《はし》から先が突《つ》き出てしまったのだ。とても長くて、尖《とが》った釘だった。頭の部分はふたに食いこんでいるけれど、ぐらぐらと動く感じがする。それからはもう、ただひたすらひとつのことだけを考えた。この釘を、なんとしてでも手に入れるんだと。さっそく右手を腹《はら》のうえに置き、ぐいぐいと釘を揺《ゆ》すり始めた。けれども釘は、びくともしない。こいつはひと仕事だぞ。左手は位置が悪く、すぐに疲《つか》れてしまったので、何度も手を替《か》えねばならなかった。夢中《むちゅう》で作業を続けながら、頭のなかに計画が出来あがっていった。この釘が頼《たの》みの綱《つな》だ。ともかくこいつを、抜き取らなくては。でも、時間切れにならないだろうか？ 空腹は耐えがたいほどだった。頭がくらくらして意識が薄《うす》れ、手に力が入らなくなると、作業を中断《ちゅうだん》しなければならなかった。ぼくは親指の傷口《きずぐち》から滴《したた》る血をすすった。自分の腕に食らいついて血を飲み、痛みで気力を奮《ふる》い立たせた。苦く生温かい血のワインで口を湿《しめ》らすと、生気がよみがえった。ぼくは両手で、再《ふたた》び釘と格闘《かくとう》し始めた。そしてとうとう、見事抜き取ったのだった。

その瞬間《しゅんかん》、ぼくは成功を確信《かくしん》した。計画は単純《たんじゅん》だった。釘《くぎ》の先端《せんたん》を棺桶《かんおけ》のふたに突《つ》き刺《さ》し、できるだけ長くまっすぐな線を引く。その線に沿《そ》って釘を動かし、切りこみを入れていくのだ。両手をこわばらせながら、ぼくは必死にやり続けた。溝《みぞ》はだいぶ深まっただろう。そう思ったあたりでいったん体をまわし、うつ伏《ぶ》せになった。膝《ひざ》と肘《ひじ》を踏《ふ》んばり、腰《こし》をふたに押《お》しつける。みしみしという音はするものの、ふたはいっこうに割《わ》れなかった。切りこみが、まだ充分《じゅうぶん》じゃないんだな。ぼくはまたあおむけになり、作業を再開《さいかい》した。さんざん苦労を続けたあと、再《ふたた》び腰で押してみると、今度はふたが端《はし》から端までまっぷたつに割れた。

もちろん、これで助かったわけではないけれど、胸《むね》に希望がわいてきた。うえから土が落ちてきて、埋《う》まってしまわないよう、ぼくは押すのをやめてじっとしていた。ふたで土を押さえながら、抜《ぬ》け穴《あな》を掘《ほ》り進めようという計画だった。しかしこの作業は、そう簡単《かんたん》にはいかなかった。大きな土塊《つちくれ》が次々《つぎつぎ》に剥《は》がれ落ち、板をうまく動かせない。このままでは、地上にたどり着けないぞ。ぼろぼろと崩《くず》れる土を避《さ》けようと、ぼくは背中《せなか》を丸めた。顔はもう、土に埋もれかけている。再び恐怖《きょうふ》が襲《おそ》ってきた。支《ささ》えになる場所を捜《さが》して体を伸《の》ばしたとき、足もとの板がぐらぐら動くような感触《かんしょく》があった。隣《となり》に掘りかけの墓穴《はかあな》があるのかもしれない。ぼくはそう思い、かかとで力いっぱい板を蹴《け》った。

そのとたん、むこう側に足が抜けた。思ったとおり、そこには新しい墓穴が口をあけていた。あとは薄《うす》い土の壁《かべ》を突き抜け、穴に転がり出るだけだ。ああ、神様！ ついに助かった！

ぼくはしばらく穴の底で、あおむけに寝転《ねころ》がったまま宙《ちゅう》を眺《なが》めていた。あたりは真っ暗だった。青みがかったビロードの夜空に、星が瞬《またた》いている。ときおり風が吹《ふ》いて、春の暖《あたた》かさと木々《きぎ》の香《かお》りを運んできた。神様、助かったんだ。ぼくは大きく息をした。もう寒くはなかった。われ知らず、涙《なみだ》が流れた。天にむかって恭《うやうや》しく両手をあげ、ぼくは途切《とぎ》れ途切れにつぶやいた。ああ、生きてるっていうのは、なんてすばらしいことなんだろう！

5

真っ先に思ったのは、墓守《はかもり》のところへ行くことだった。そうすれば、家まで送り届《とど》けてもらえる。しかしあれこれ考えると、どうも決心がつかなかった。今、帰ったら、きっとみんな気味悪がるぞ。これからのことはぼく次第なんだから、状況《じょうきょう》を見きわめてからでも遅《おそ》くはない。手足に触《さわ》って調べてみたけれど、自分で噛《か》んだ軽い傷跡《きずあと》が左腕《ひだりうで》にあるだけだった。そのせいで少し熱っぽいらしく、妙《みょう》に気持ちが高ぶっていた。よし、なんとかひとりで歩けそうだ。

ぼくはあわてずに事を運んだ。わけのわからない妄想《もうそう》が、頭のなかに渦《うず》まいていた。手を伸《の》ばすと、すぐ脇《わき》に墓《はか》を掘《ほ》る道具があった。穴《あな》のなかに、置きっぱなしにしたのだろう。墓をめちゃめちゃにしてしまったから、きちんと後始末しておいたほうがいい。生き返ったことを知られないよう、穴を埋《う》め戻《もど》しておかなくては、とぼくは思った。そのときは、なにかはっきりとした考えがあったわけではない。ただ、みんなに死んだと思われているのに、本当は生きていたなんて、恥《は》ずかしいような気がしたのだ。こんな出来事、知られないにこしたことはない。三十分ほどで、痕跡《こんせき》をすっかり消すことができた。ぼくは墓穴《はかあな》から抜《ぬ》け出した。

なんて美しい夜だろう！　墓地《ぼち》はしんと静まり返り、白い墓石《ぼせき》のあいだに黒い木々《きぎ》が影《かげ》を落としている。どっちへ行こうかとあたりを見まわしたとき、空の半分が燃《も》えるように赤く色づいているのに気づいた。よし、パリはむこうだ。ぼくは町を目ざし、並木道《なみきみち》に沿《そ》って、木陰《こかげ》の闇《やみ》のなかを足早に歩き始めた。けれども五十歩ほどのところで、早くも息が切れてしまった。立ちどまって石のベンチに腰《こし》かけ、そこで初めて身なりをたしかめた。大丈夫《だいじょうぶ》、服はちゃんと着ているし、靴《くつ》も履《は》いている。足りないのは帽子《ぼうし》くらいなものだ。マルグリットは服装《ふくそう》を整えてくれたんだ。

彼女《かのじょ》のやさしい心づかいに、どれほど感謝《かんしゃ》したことか。ぼくはまた立ちあがった。妻《つま》のことを思い出したら、すわってなんかいられない。早く彼女《かのじょ》に会いたかった。

並木道《なみきみち》の端《はし》まで来ると、塀《へい》が立ちふさがった。ぼくは墓石《ぼせき》に足をかけて塀によじのぼると、うえにつかまって反対側にぶらさがり、どすんと下に降《お》りた。そして墓《ぼ》地《ち》のまわりを巡《めぐ》る人気《ひとけ》のない通りを、しばらく歩いた。いったいどのあたりにいるのか、見当がつかなかった。それでもぼくは取りつかれたように、ひたすら心の内で繰《く》り返していた。パリに戻《もど》るんだ、きっとドーフィーヌ通りが見つかると。人が通りかかっても、たずねてみようとさえしなかった。警戒心《けいかいしん》でいっぱいで、誰《だれ》にも頼《たよ》りたくなかった。今になってみると、そのときすでに熱に浮《う》かされ、まともな判《はん》断《だん》ができなくなっていたのだろう。ようやく大通りに出たところで、ぼくは歩道に倒《たお》れこんでしまった。

それからのことは、記憶《きおく》から抜《ぬ》け落ちている。三週間のあいだ、ずっと意識《いしき》を失っていたのだ。ようやく目覚めたとき、ぼくは見知らぬ部屋にいた。年配の男がひとり、そばについて看病《かんびょう》をしてくれた。ある朝、モンパルナス大通りに倒れていたぼくを見つけ、家に運んだのだという。彼《かれ》は引退《いんたい》した医者だった。ぼくがお礼を言うと、興味深《きょうみぶか》い症例《しょうれい》だったので調べてみたかったのだ、とぶっきらぼうに答えた。回復期《かいふくき》に入ったばかりのあいだは、なにも質問《しつもん》をさせてもらえなかったし、男のほうも根掘《ねほ》り葉掘《はほ》りたずねなかった。意識が戻ったあとも、さらに一週間は寝《ね》たきりだった。頭がぼんやりして、過去《かこ》をふり返る気にもならなかった。どうせ、つらく苦しいことばかりなのだし。情《なさ》けないやら不安やらで、落ち着かなかった。外出できるようになったら、ようすを見に行くつもりだった。熱に浮かされて、誰かの名前を口走ったかもしれない。けれども医者は探《さぐ》りを入れるようなことはせず、控《ひか》えめな思いやりを示《しめ》し続けた。

夏になった。六月のある朝、少しだけ外に出てもいいとようやく許可《きょか》をもらった。気持ちのいい朝だった。陽気な太陽が、古きパリの街並《な》みを若々《わかわか》しく輝《かがや》かせている。ぼくは四辻《よつつじ》ごと、通行人にドーフィーヌ通りへの行き方をたずねながら、のんびり歩いていった。やがてドーフィーヌ通りに着くと、マルグリットと泊《と》まっていた家具つきアパートも難《なん》なく見つかった。でも、子供《こども》じみた恐《おそ》れで胸《むね》がいっぱいだった。いきなり姿《すがた》をあらわしたら、マルグリットをびっくり仰天《ぎょうてん》させてしまうだろう。まずは隣《となり》のギャバン夫人に知らせたほうがいいのでは。でも、夫婦のあいだに他人を入れるのはためらわれて、なかなか決心がつかなかった。心の奥底《おくそこ》にぽっかりと穴《あな》があいているような、虚《むな》しさがあった。ぼくはずっと前から、大きな犠牲《ぎせい》を払《はら》ってきたんじゃないか。建物は陽光に照らされ、黄色く染《そ》まっている。一階にある安レストランが目印になった。あそこから、出前を届《とど》けてもらったっけ。ぼくは四階を見あげ、左端《ひだりはし》の窓《まど》に目をやった。窓はあいている。そこに突然《とつぜん》、若《わか》い女が顔を出し、肘《ひじ》をついた。髪《かみ》の乱《みだ》れた、下着姿《したぎすがた》の女だった。背後《はいご》から男が近づき、身を乗り出して女の首筋《くびすじ》にキスをした。女はマルグリットではなかったけれど、ぼくは少しも驚《おどろ》かなかった。こんな場面も、これから知ることも、前に夢《ゆめ》で見たような気がした。

しばらくぐずぐずと通りにたたずみ、思案を続けた。とりあえず四階まであがり、まだ陽ざしを浴びて、笑っている恋人《こいびと》たちにたずねようか。結局、下の小さなレストランに入ってみることにした。ぼくだとは気づかれないだろう。熱で寝《ね》こんでいるあいだに、ひげぼうぼうになっていたし、頬《ほほ》はげっそりこけてしまったから。テーブルに着くと、ちょうどギャバン夫人がカップを持ってコーヒーを買いに来るのが見えた。彼女《かのじょ》はカウンターの前に立つと、レストランの女主人といつものように世間話を始めた。ぼくは耳をそばだてた。

「それじゃあ」と女主人はたずねた。「四階にいたお気の毒な若奥《わかおく》さん、ようやく心を決めたってわけ？」

「だってねえ」とギャバン夫人が答える。「それがいちばんじゃないの。シモノーさんはあんなに親切にしてくれたんだから……。債権《さいけん》の回収《かいしゅう》も無事片《かた》づいて、まとまった遺産《いさん》が入ったところだし、いっしょに故郷《くに》に帰って、叔母《おば》さんの家で暮《く》らしたらどうかと言われたんですって。叔母さんも、たよりになる人を欲《ほ》しがっているからと」

カウンターに立った女は、くすくすと笑った。ぼくは真っ青になった顔を、新聞で隠《かく》した。手の震《ふる》えが止まらない。

「いずれは結婚《けっこん》するんだろうけど」とギャバン夫人は続けた。「おかしな関係になったわけじゃないのよ、本当に。奥《おく》さんは、亡《な》くなったご主人のことを思って泣いてばかり。シモノーさんのほうも、節度を保《たも》ったりっぱな態度《たいど》だったし……。そんなこんなで昨日、ふたりしてパリを発ったわ。奥さんの喪《も》があけたら、ほら、あとはふたりで好きにすればいいじゃない」

そのとき、レストランから通路に通じるドアがあいて、デデが入ってきた。

「ママ、うえに来てよ。さあ、早く、早く」

「ちょっと待って。うるさい子ね」母親は言った。

少女はパリの町っ子らしい、ませた表情《ひょうじょう》で、そのまま女ふたりの話を聞いていた。

「そりゃそうよね」とギャバン夫人はまた続けた。「亡くなったご主人は、シモノーさんにかなわなかったもの……。貧相《ひんそう》な男でさ、顔も思い出さないくらいだわ。

愚痴《ぐち》ばかりこぼして、一文なしで。あんな夫じゃ、元気溌溂《げんきはつらつ》とした奥さんに愛想をつかされてもしかたないわね……。それにひきかえシモノーさんはお金持ちで、とてもたくましくて……」

「ねえ、ねえ」とデデが口を挟《はさ》んだ。「シモノーさんが顔を洗《あら》っているところを見たけど、腕《うで》にいっぱい毛が生えてたわ」

「あっちへ行ってなさい」ギャバン夫人は、娘《むすめ》をぐいっと押《お》し戻《もど》しながら言った。「おまえときたら、いつも大人の話に首を突《つ》っこむんだから」

そして、こうしめくくった。

「ともかく、死んでくれてよかったのよ。もっけのさいわいってことだわ」

ぼくは通りに出ると、のろのろと歩き始めた。足がずっしりと重かった。けれども、思ったほど苦しくはなかった。自分の影《かげ》を見て、微笑《ほほえ》んだくらいだ。たしかにぼくは貧弱《ひんじゃく》だものな。マルグリットと結婚しようなんて、所詮《しょせん》大それた考えだったんだ。

ぼくはゲランドでの暮《く》らしを思い返した。マルグリットはうんざりするような、退屈《たいくつ》な毎日に耐《た》えきれなかった。妻《つま》はやさしかった。でも、ぼくに恋《こい》していたんじゃない。兄のように慕《した》っていた男が死んで、泣いていただけなんだ。だったら彼女《かのじょ》の人生を、ここでまた乱《みだ》すようなことはすべきじゃない。死者は嫉妬《しっと》なんかしないものだ。

顔をあげると、目の前にリュクサンブール公園があった。ぼくはなかに入って日なたに腰《こし》かけ、穏《おだ》やかな気持ちでもの思いにふけった。マルグリットのことを考えると、胸《むね》が熱くなった。小さな田舎町《いなかまち》で皆《みな》に愛され、しあわせに暮《く》らしているところを想像《そうぞう》した。ますます美しくなり、子宝《こだから》にも恵《めぐ》まれて、息子三人に娘《むすめ》がふたり。だからぼくは、おとなしく死んでいこう。生き返ったって、誰《だれ》のためにもなりゃしない。そんな馬鹿《ばか》な考えは起こすまい。

そのとき以来、ずいぶんと旅をし、いろいろなところで暮らした。ぼくはみんなと同じように働き、ものを食べる平凡《へいぼん》な人間だ。

死ぬのはもう怖《こわ》くなかった。生きている意味なんか、とっくになくしてしまった。それなのに、お迎《むか》えはいっこうに来る気配がない。もしかして、ぼくは死に見放されてしまったのだろうか。

血

Le Sang

1

四人の兵士が勝利の晩《ばん》、人気《ひとけ》のない戦場の片隅《かたすみ》で野営《やえい》をしていた。あたりは闇《やみ》に包まれている。四人は戦死者の骸《むくろ》がいくつも横たわるなかで、陽気に食事を始めた。彼《かれ》らは草のうえにすわってたき火を囲み、まだ血が滴《したた》っている子羊のあぶり肉に食らいついた。炎《ほのお》が男たちの顔を赤く染《そ》め、彼らの大きな影《かげ》を遠くに映《うつ》している。かたわらに投げ出した銃《じゅう》がときおり青白く光ると、目をあけたまま眠《ねむ》っている死者が暗闇《くらやみ》のなかに浮《う》かんだ。

四人は自分たちを見つめる虚《うつ》ろな視線《しせん》などおかまいなしに、笑い興《きょう》じていた。つらい一日だった。明日はまた、何があるかわからない。せめてひとときの休息と食事を楽しもうと。

暗黒と死が戦場のうえを飛びまわり、巨大《きょだい》な翼《つばさ》で静寂《せいじゃく》と恐怖《きょうふ》を舞《ま》いあげている。食事が終わると、グヌッスが歌い始めた。朗々《ろうろう》としたその歌声も、陰鬱《いんうつ》な闇には太刀打ちできなかった。いくら楽しげに歌おうと、すすり泣くような響《ひび》きに変わってしまう。聞いたこともない調べが自分の口から出てくるのに驚《おどろ》き、兵士はいっそう声を張《は》りあげた。とそのとき、恐《おそ》ろしい叫《さけ》び声が暗闇からあたりに響いた。

グヌッスは不安そうに歌をやめ、エルベールに言った。

「死者が目を覚ましたようだな。見て来いよ」

エルベールは、火のついた燃《も》えさしを持って遠ざかった。仲間たちは、松明の光をしばらく目で追った。エルベールは身をかがめ、剣《けん》で茂《しげ》みをかき分けながら死体になにか話しかけていたが、やがて姿《すがた》を消した。

「クレリアン」グヌッスは沈黙《ちんもく》のあとに言った。「今夜は狼《おおかみ》がうろついているようだから、あいつを迎《むか》えに行ってやれ」

そして今度はクレリアンが、闇《やみ》のなかに消えていった。

待ちくたびれたグヌッスとフレムはコートにくるまり、消えかけた熾火《おきび》のわきに寝《ね》そべった。目をつむると、さっきと同じ叫《さけ》び声が頭上に響《ひび》いた。フレムは黙《だま》って立ちあがり、ふたりの仲間を呑《の》みこんだ闇にむかって歩き始めた。

こうしてグヌッスはひとりになった。恐怖《きょうふ》がこみあげてくる。苦悶《くもん》のあえぎに満ちた真っ暗な深淵《しんえん》が、恐《おそ》ろしくてたまらなかった。彼《かれ》はたき火に枯草《かれくさ》をくべた。炎《ほのお》の明かりで恐怖心《きょうふしん》もふり払《はら》えるだろうと思って。血のように赤い火が燃《も》えあがり、周囲の地面がぐるりと丸く照らされた。影《かげ》のなかで眠《ねむ》る死者たちが、見えない手で揺《ゆ》さぶられているかのようだった。

グヌッスは光が怖《こわ》くなった。彼は燃えている小枝《こえだ》を蹴散《けち》らし、踵《かかと》で踏《ふ》みつけて火を消した。いっそう重苦しく深い闇が再《ふたた》びあたりを包むと、ぶるっと体が震《ふる》えた。彼はいったんすわるとまた立ちあがり、仲間に呼《よ》びかけた。自分の大声にどきりとした。死者たちの注意を引きつけてしまったのではないかと、心配になるほどだった。

やがて月があらわれた。青白い光に映《うつ》し出された戦場を、グヌッスは不安な面持ちで眺《なが》めた。もはや夜の闇をもってしても、恐怖は覆《おお》い隠《かく》せなかった。戦闘《せんとう》の残骸《ざんがい》や死体が散らばった荒野《こうや》が、光の屍衣《しい》に包まれ目の前に広がっている。太陽の光とは違《ちが》って、月明かりはいくら闇を照らそうと、無言の恐怖を払いのけきれなかった。額《ひたい》に冷汗《ひやあせ》がにじんだ。いっそ青白い月影《つきかげ》を逃《のが》れ、丘《おか》に登ろうか？　死者たちは今、おれを見ている。あいつら、いったい何を待っているんだ？　さっさと起きあがれ。おれを取り囲みたければ、そうすればいい。死者たちが動かないのが、かえってグヌッスには不気味だった。なにか恐ろしいことが起こりそうな気がして、彼は目を閉《と》じた。

その場に立ちすくんでいると、左足の踵が生あたたかくなってきた。グヌッスは地面に身をかがめた。見ると足もとに、小さな血の川ができている。小川は軽やかなざわめきをたてながら、小石から小石へと跳《は》ねまわるように流れていった。彼は影《かげ》を抜《ぬ》け出すと、月光のなかで身をよじり、再《ふたた》び影のなかに逃《に》げ帰った。血の川はまるで黒い鱗《うろこ》をした蛇《へび》が体をくねらせ、這《は》い進んでいるかのようだった。グヌッスは目を閉《と》じることもできず、ただあとずさりするほかなかった。顔が引きつり、かっと見ひらいたままの目は、流れる血を凝視《ぎょうし》している。

血は少しずつ嵩《かさ》を増《ま》して河床《かわどこ》に広がり、子供《こども》がひとっ跳《と》びに越《こ》えられるくらいの幅《はば》になった。ゆったりと地を流れる川は、鈍《にぶ》い水音をあげながら川岸に赤い泡《あわ》を立てる急流に、そしてついには大河《たいが》に変じた。

いくつもの死体が、大河の川面《かわも》に浮《う》かんでいる。なんと恐《おそ》ろしいことだろう。死者たちを運び去るほどのおびただしい血が、傷口《きずぐち》から流れ出たなんて。

グヌッスは溢《あふ》れだした血の川を前にして、あとずさりを続けた。もはや対岸は見えず、川が湖になってしまったかのようだった。

突然《とつぜん》、岩の斜面《しゃめん》に背《せ》があたった。もう逃げようがない。そのとき、膝《ひざ》に波がよせるのを感じた。流れに運ばれていく死者たちの罵《のの》り声が聞こえる。傷口がばくばくと動いて、怯《おび》えきったグヌッスを嘲笑《あざわら》った。どろりとした血の海はさらに潮位《ちょうい》を高め、腰《こし》のあたりですすり泣くような波音をたてている。グヌッスは必死に体を起こし、岩の裂《さ》け目にしがみついた。けれども岩はすぐに崩《くず》れ、彼《かれ》は横転して肩《かた》まで波に浸《つ》かってしまった。

青白い、陰気《いんき》な月が、血の海を見つめている。しかし月光は海に吸《す》いこまれ、水面はきらともしなかった。空がほのかに輝《かがや》いていた。影とざわめきに満ちた広大な血だまりは、大口をあけた深淵《しんえん》のようだった。

高波が押《お》し寄《よ》せ、泡立《あわだ》ったしぶきがグヌッスの唇《くちびる》を赤く染《そ》めた。

2

夜が明けるとエルベールが戻《もど》ってきて、石を枕《まくら》に眠《ねむ》っているグヌッスを起こした。

「茂《しげ》みのなかで迷《まよ》っちまってね」とエルベールは言った。「木の根もとにすわってひと休みしていたら急に眠気《ねむけ》に襲《おそ》われて、瞼《まぶた》の裏《うら》に奇妙《きみょう》な光景が次々《つぎつぎ》に浮《う》かんでいった。目が覚めても、それが頭にこびりついて離《はな》れないんだ。

この世界はまだできたばかりで、空は果てしない笑顔のようだった。初々《ういうい》しい、むき出しの大地は、五月の日差しを浴びて明るく花ひらいている。若草《わかくさ》が柏《かしわ》の巨木《きょぼく》より大きく伸《の》び、あたりを緑で包んでいた。宙《ちゅう》に広がる木々《きぎ》の葉叢《はむら》といったら、今まで見たこともないほどだ。樹液《じゅえき》が世界中に満ち溢《あふ》れ、植物のみならず岩の奥底《おくそこ》まで流れこんで生気を与《あた》えた。

輝《かがや》く地平線が、静かに続いている。聖《せい》なる自然が目覚め始めた。朝日にむかってひざまずき、神に感謝《かんしゃ》を捧《ささ》げる子供《こども》のように、自然は空にむかって香《かお》りを発し、歌いかけた。その香りの強烈《きょうれつ》なこと、歌声の妙《たえ》なることといったらなかったな。あまりの神々《こうごう》しさに、おれには受けとめきれないほどだった。

やさしく肥沃《ひよく》な大地は、苦もなく命を生み出している。果樹《かじゅ》はところかまわず生い茂《しげ》り、小麦畑は道沿《ぞ》いに広がっていた。今はイラクサの野が、はびこっているようにね。空を吹《ふ》き抜《ぬ》ける風には、汗《あせ》の臭《にお》いなんか少しも混《ま》じっていない。神様がその子である人間のために、ひとりで働いてくれているからね。

人々《ひとびと》は鳥のように、神様から与えられた食べ物で生きていた。神に感謝の祈《いの》りを捧げながら、木々の果実をもぎ、泉《いずみ》の水を飲み、夜には木陰《こかげ》で眠《ねむ》った。人間の唇《くちびる》はまだ、肉を恐《おそ》れていた。獣《けもの》の血を口にすることなく、朝露《あさつゆ》と太陽がもたらす糧《かて》だけを味わっていた。

そうさ、人間は罪《つみ》を知らなかった。だからこそ、神がお創《つく》りになった生き物たちの王として称《たた》えられたんだ。すべてが調和していた。この世はなんて無垢《むく》だったろう。なんて平和で穏《おだ》やかだったんだろう。鳥の羽ばたきは、逃《に》げ去るためのものではない。森は姿《すがた》を隠《かく》す場所ではない。神様がお創りになった生き物たちは太陽のもとで、ひとつになって暮《く》らしていた。仲良くすることだけを掟《おきて》にして。

おれはそんな人々のあいだを、そんな自然のなかを歩いていた。なんだか自分がより強くて、立派《りっぱ》な人間になったような気がした。空の空気を胸《むね》いっぱいに吸《す》いこんだ。悪臭《あくしゅう》に満ちた戦場の風からいきなり抜《ぬ》け出し、こんな清浄《せいじょう》な世界のそよ風に吹《ふ》かれていると、坑道《こうどう》をのぼって外気に触《ふ》れた炭鉱夫《たんこうふ》のような心地よさを感じたよ。夢《ゆめ》の天使に誘《さそ》われ、あいかわらずおれはまどろみ続けていた。すると迷《まよ》いこんだ森のなかで、おれの脳裏《のうり》にこんな光景が浮《う》かんだんだ。

木陰《こかげ》の小道を、ふたりの男が歩いている。前を行く若《わか》いほうの男は楽しげに歌を口ずさみながら、草の一本一本を愛おしそうに眺《なが》めた。彼《かれ》はときおりふり返っては、連れの男に笑いかけた。なんとも言えず、やさしい笑顔だ。あれは兄弟の微笑《ほほえ》みだとわかった。

もうひとりの男は暗い目をし、むっつりと押《お》し黙《だま》っていた。そして若い男の首筋《くびすじ》を憎々《にくにく》しげに見つめながら、よろめくように走ってあとをついていく。逃《に》げられない犠牲者《ぎせいしゃ》を追っているかのように。

見ればうしろの男は木の幹《みき》を切り、即席《そくせき》の棍棒《こんぼう》を作っているではないか。それから前の男を見失わないよう、武器《ぶき》を背後《はいご》に隠《かく》し持って駆《か》けだした。若い男は腰《こし》かけて待っていたが、連れが近づくと立ちあがり、しばらくぶりに会うかのように、その額《ひたい》にキスをした。ふたりはまた歩き始めた。日が陰《かげ》り始めると、若い男は遥《はる》かかなた、森のはずれを眺めながら足を速めた。木々《きぎ》のあいだに、夕日に染《そ》まったなだらかな丘《おか》の稜線《りょうせん》が見えた。うしろの男は、彼が逃げると思ったのだろう、手製《てせい》の棍棒を宙《ちゅう》にかざした。

若い男はふり返り、元気よく励《はげ》まそうと口をひらきかけた。とそのとき、棍棒が彼の顔面を襲《おそ》った。額が割《わ》れ、血が噴《ふ》き出る。

飛び散った血しぶきを、草は忌《い》まわしげにふり払《はら》った。大地は滴《したた》り落ちた血を、恐怖《きょうふ》に震《ふる》えながら飲みこんだ。怒《いか》りの叫《さけ》びが、地の底から長々《ながなが》と響《ひび》きわたった。小道の砂《すな》はこの忌まわしい液体《えきたい》を、ごぼごぼと泡立《あわだ》てた。

犠牲者の叫び声を聞き、生き物たちは恐《おそ》れおののいたように散っていった。みんな裏道《うらみち》を選んで、世界じゅうを逃げまわった。そして十字路で待ち伏《ぶ》せし、強いものは弱いものに襲いかかった。そっと離《はな》れて牙《きば》をみがき、爪《つめ》をといでいる獣《けもの》たちが見えた。こうして、いたるところで略奪《りゃくだつ》が始まった。

おれの目の前で、果てしのない逃亡《とうぼう》が続いた。タカがツバメに食らいつき、ツバメは飛びながら羽虫を捕《つか》まえ、羽虫は死体に群《むら》がった。うじ虫からライオンまで、あらゆる生き物たちが戦々恐々《せんせんきょうきょう》とし、互《たが》いの尾《お》に噛《か》みついては、果てしなく貪《むさぼ》り合い続けた。

大自然のすべてが恐怖《きょうふ》に駆《か》られて、長い激動《げきどう》が始まった。まっすぐに伸《の》びていた地平線はずたずたにちぎれ、朝日と夕日が雲を血のように赤く染《そ》めた。川は溢《あふ》れ、いつまでも続くむせび泣きとともに水が押《お》しよせる。木々《きぎ》は枝《えだ》をよじらせ、年毎《としごと》、しおれた葉を大地に散らした」

3

エルベールが語り終えたところに、クレリアンが戻《もど》ってきた。彼《かれ》はふたりのあいだに腰《こし》をおろすと、こう話し始めた。

「なあ、聞いてくれ。あれは夢《ゆめ》だったのか、それともこの目で見たことだったのか、自分でもよくわからないんだが。夢にしてはとても現実感《げんじつかん》があったし、現実《げんじつ》にしては夢みたいな出来事だった。

おれはどこまでも続く道のうえにいた。人々《ひとびと》はこの道を通って、町から町へと旅している。

ふと見ると、道の敷石《しきいし》が真っ黒だった。それに足の下が、やけにつるつる滑《すべ》るんだ。そこでおれは気づいたのさ。敷石は血で黒く汚《よご》れているんだって。道の真ん中が両側より低くなっていて、そこにねばつく赤い液体《えきたい》が、小川となって流れていた。おれは群衆《ぐんしゅう》がざわめくこの道を進んでいった。人々の営《いとな》みを眺《なが》めながら、群《む》れから群れへと歩いていった。

あちらを見れば父親が、娘《むすめ》を生贄《いけにえ》に捧《ささ》げようとしている。恐《おそ》ろしい神々《かみがみ》に、その血を供《きょう》すると誓《ちか》ったのだ。金髪《きんぱつ》の頭がナイフの下に差し出され、死を前にした顔は真っ青だった。

こちらを見れば清純《せいじゅん》な乙女《おとめ》たちが、淫《みだ》らな抱擁《ほうよう》から逃《のが》れようともがいている。彼女《かのじょ》たちの純潔《じゅんけつ》を示《しめ》す白いドレスの代わりに、やがて墓《はか》が立てられるだろう。さらに遠くへと目をやれば、恋《こい》する女たちが口づけのなかで息絶《た》えていた。ひとりは捨《す》てられた悲しみから、岸辺で死んでいった。その目は愛を奪《うば》い去った川の流れを、じっと見つめている。別のひとりは、愛する男の腕《うで》に抱《だ》かれたまま殺された。それでもなお恋人《こいびと》の首にしがみつき、ふたりして永遠《えいえん》の抱擁を続けている。そのむこうでは、暗い惨《みじ》めな暮《く》らしに疲《つか》れた男たちが、この地上で虚《むな》しく追い求めた自由を来世に見出そうと、命を断《た》とうとしていた。

いたるところ、王たちの血塗《ちぬ》られた足跡《あしあと》が舗石《ほせき》に残されていた。彼《かれ》らは皆《みな》、血のなかを歩いてきたのだ。実の兄弟が流した血、民衆《みんしゅう》が流した血、さらには神様の血までも。塵《ちり》のうえについた赤い足跡を見ると、群衆《ぐんしゅう》は口々《くちぐち》にこう言った。『王がここを通ったのだ』と。

生贄《いけにえ》の首を切り裂《さ》く司祭もいた。彼らはまだぴくぴくと動いている腸《はらわた》を馬鹿《ばか》みたいにのぞきこみ、天の秘密《ひみつ》を読み取ったなどと言い張《は》るのだった。法衣《ほうえ》の下に剣《けん》を持ち、神の名において戦えと説いている。人々《ひとびと》はその声に鼓舞《こぶ》され、わが父と仰《あお》ぐ神を称《たた》えて互《たが》いの敵《てき》に襲《おそ》いかかり、熾烈《しれつ》な争いを始めた。

誰《だれ》もが皆、戦いに酔《よ》いしれていた。壁《かべ》を打ち壊《こわ》し、忌《い》まわしい泥《どろ》で汚《よご》れた舗石のうえを転げまわっている。闇《やみ》のなかで目を閉《と》じ、諸刃《もろは》の剣《つるぎ》を両手で振《ふ》りまわして、虐殺《ぎゃくさつ》を続けた。

殺戮《さつりく》の湿《しめ》った吐息《といき》が、赤い霧《きり》のなかをどこまでも続く群衆のうえに吹《ふ》きかかった。人々は恐怖《きょうふ》に駆《か》られて走りだし、ますます高まる喧騒《けんそう》のなかをただ右往左往《うおうさおう》した。倒《たお》れた敵を踏《ふ》みつけ、傷口《きずぐち》から最後の血の一滴《いってき》まで絞《しぼ》り出させた。ついには敵がうめき声ひとつあげなくなるや、死体を呪《のろ》い、怒《いか》りに喘《あえ》いだ。

大地は浴びるように血を飲み干《ほ》した。喉《のど》を焼くその味を、もはや不快《ふかい》だとも思わなかった。酒浸《さけびた》りになった、下品な酔っぱらいのように。

おれは足を速めた。同じ人間たちのこんな姿《すがた》を、もう見たくなかった。新たな地平線がひらけるたび、黒い道は広がっていった。おれは小川のあとを追い続けた。どこか知らない海へと流れこんでいるらしい。

先へ進むにつれ、自然は暗く、厳《きび》しくなっていった。平野の真ん中に、深い裂《さ》け目ができている。荒涼《こうりょう》とした丘《おか》や暗い谷の地面には、岩の塊《かたまり》がいくつも転がっていた。丘はどんどんと高く、谷はどんどんと深くなり、石ころが山になり、溝《みぞ》が深淵《しんえん》と化した。

木陰《こかげ》もなければ、苔《こけ》も生えていない。岩が点々《てんてん》とする、荒《あ》れ果てた光景が広がるばかりだ。岩のてっぺんは太陽に照らされて白く輝《かがや》き、下は暗い陰《かげ》に沈《しず》んでいた。死の静寂《せいじゃく》に包まれ、道は岩のあいだをぬうように続いた。

突然《とつぜん》、道が大きく曲がったかと思うと、陰気《いんき》な場所に出た。

四つの山がどっしりと肩《かた》を寄《よ》せ合って、広い盆地《ぼんち》を作っている。切り立った険《けわ》しい山肌《やまはだ》は、巨大《きょだい》な町の城壁《じょうへき》さながらに周囲をとり巻《ま》き、地平線も見えないほど、大きく深い井戸《いど》の底にいるかと思うほどだった。

井戸には小川が流れ落ち、血がたまっていた。地下の岩床《がんしょう》で眠《ねむ》っているかのような、波ひとつないどろりとした血の海が、深淵の底から徐々《じょじょ》にのぼってくる。曇《くも》った空が赤く映《は》えていた。

そこでおれは、はたと気づいたのさ。世界中の血が、ここに勢《いきお》いよく流れこんでいるんだって。この世で初めての殺人以来、あらゆる傷口《きずぐち》がこの淵《ふち》のなかで赤い涙《なみだ》を流してきた。そして淵がいっぱいになるほど、大量の血が流れ続けたんだ」

「おれも昨晩《さくばん》、見たぞ」とグヌッスが口を挟《はさ》んだ。「呪《のろ》われた湖に急流が注ぐのを」

「もう、恐《おそ》ろしくてたまらなかった」とクレリアンは続けた。「おれは淵の端《はし》に近づき、血だまりの深さを目ではかった。鈍《にぶ》い水音から、地中奥深《おくふか》くまで流れこんでいるのがわかった。今度は岩壁《がんぺき》に目をやると、血の海はもうてっぺんのあたりまで近づいている。そのとき、深淵が叫《さけ》び声をあげた。『波はさらに高まり、やがて頂《ちょう》上《じょう》に達する。それでもなおやまなければ、恐ろしい淵からあふれ出した血が平野を襲《おそ》うだろう。山は大波と闘《たたか》うのに疲《つか》れ、崩《くず》れ落ちる。湖は決壊《けっかい》し、世界中が血の海になってしまう。やがて生まれてくる人間たちは、父親が流した血のなかで溺《おぼ》れ死んでしまうのだ』と」

「その日は近いぞ」とグヌッスが言った。「波は昨晩《さくばん》、すでに高かったからな」

4

朝日がのぼり始めたころ、クレリアンは話を終えた。朝の風が運ぶラッパの音が、北から聞こえた。荒《あ》れ野に散らばっている兵士たちを、軍旗のもとに集めるための合図だ。

三人は立ちあがり、武器《ぶき》をつかんだ。そして消えた焚《た》き火を最後にもう一度見やると、歩き始めた。とそこに、フレムが高く茂《しげ》った草むらをかき分け、あたふたとやって来た。足が砂埃《すなぼこり》で真っ白だ。

「おい、みんな」とフレムは言った。「大急ぎで戻《もど》ってきたんだ。どこをどう走ったのかも、わからないほどさ。まわりの木々《きぎ》が次々《つぎつぎ》背後《はいご》に消えるのを、何時間もずっと見ながらね。そのうち自分の足音が子守唄《こもりうた》みたいに響《ひび》いてきて、瞼《まぶた》が重くなってきた。そしておれは走ったまま、いつしか奇妙《きみょう》な眠《ねむ》りに落ちてしまった。

気づくとおれは、人気《ひとけ》のない丘《おか》のうえにいた。ぎらぎらと輝《かがや》く太陽が、大きな岩を照りつけている。地面に足をつけると、焼けるように熱かった。おれは早く頂上《ちょうじょう》にたどりつこうと急いだ。

飛び跳《は》ねるように走っていると、ゆっくりと歩く男が見えた。男は茨《いばら》の冠《かんむり》をかぶって重い荷を肩《かた》に負い、顔には血の汗《あせ》を滴《したた》らせていた。そして一歩ごとによろめきながら、必死に足を踏《ふ》みしめている。

地面はこんなに熱いのだから、男はどんなにか苦しいだろう。おれは見るにしのびず、丘のてっぺんにのぼり、木陰《こかげ》で男を待った。そのとき、男が運んでいるのは十字架《じゅうじか》だと気づいた。冠と泥《どろ》だらけの赤い服から、彼《かれ》は王なのだとわかった。そうしたら、男が苦しむさまを見るのも愉快《ゆかい》になってきた。

男のうしろから、兵士たちがついてくる。兵士は早く歩けとばかりに、槍《やり》で男をつついた。頂上《ちょうじょう》の岩に着くと、兵士は男の服を脱《ぬ》がせ、忌《い》まわしい木の十字架《じゅうじか》のうえに寝《ね》かせた。男は悲しげに微笑《ほほえ》みながら、大きくひらいた両手を死刑執行人《しけいしっこうにん》に差し出した。手に釘《くぎ》が打ちこまれ、血まみれの穴《あな》をふたつ作った。男は両足を近づけ重ね合わせたので、足に打つ釘は一本で用が足りた。

男はあおむけに寝たまま、黙《だま》って空を眺《なが》めている。ふた筋《すじ》の涙《なみだ》が、そっと頬《ほほ》をつたった。男は自分が泣いていることにも、気づいていないようだった。あきらめ悟《さと》ったように微笑む口もとに、涙は消えていった。

十字架を起こすと、体の重みで傷口《きずぐち》が大きくひらいた。骨《ほね》が砕《くだ》ける音も聞こえた。磔《はりつけ》にされた男はいつまでも身震《みぶる》いしていたが、やがてまた空を見つめ始めた。おれは男の姿《すがた》に目を奪《うば》われた。その堂々《どうどう》たる死を眺めながら、おれは言った。『この男は王ではない』と。おれは哀《あわ》れを催《もよお》し、早く心臓《しんぞう》にとどめを刺《さ》すよう兵士たちに叫《さけ》んだ。

一羽の小鳥が十字架にとまって、さえずり始めた。涙に暮《く》れる乙女《おとめ》のような、その悲しげな歌声は、おれの耳もとにこう語りかけた。

『血は炎《ほのお》を赤く輝《かがや》かせ、花を緋色《ひいろ》に彩《いろど》り、雲を茜色《あかねいろ》に染《そ》めるのです。わたしが砂《すな》のうえにとまると、足は血まみれになりました。柏《かしわ》の枝《えだ》をかすめ飛ぶと、翼《つばさ》は真っ赤になりました。

　わたしは心正しい人に出会い、そのあとを追いました。泉《いずみ》で水浴びをしたばかりの羽毛は、少しも汚《よご》れていませんでした。わたしはこうさえずりました。〝喜ぶがいい、わが翼よ。この男の肩《かた》にとまっていれば、もう殺戮《さつりく》の雨に汚されることはないから〟と。

　けれどもいま、わたしはこう歌っています。〝泣きなさい、ゴルゴタの丘《おか》の小鳥よ。嘆《なげ》きなさい、汚れた羽毛を。おまえを胸《むな》もとにかばった人の血で、汚れてしまったその羽毛を。彼《かれ》は鳥たちを真っ白に清めるためにやって来た。それなのに人々《ひとびと》は彼を殺し、その傷口《きずぐち》から流れる血をわたしに浴びせた〟と。

わたしは疑《うたが》いの気持ちで、汚《よご》れた羽毛に涙《なみだ》しています。ああ、イエスよ、あなたの兄弟はどこにいるのでしょう？　わたしのために、亜麻《あま》の服をひらいてくれる兄弟は。ああ、哀《あわ》れな主よ、あなたの血で赤く汚れた羽毛を、誰《だれ》が濯《すす》いでくれるのでしょう？　あなたの息子たちの誰が？』

磔《はりつけ》にされた男は、小鳥の歌を聞いていた。死の風が瞼《まぶた》を震《ふる》わせ、断末魔《だんまつま》の苦悶《くもん》で唇《くちびる》が歪《ゆが》んだ。男はやさしくたしなめるように、小鳥を見あげた。そして希望を捨《す》てていないかのように、晴れ晴れとした笑みを浮《う》かべた。

男は大きな叫《さけ》び声をあげ、がっくりと頭を胸《むね》のうえにたれた。小鳥はすすり泣きながら飛び去った。空は真っ暗に曇《くも》り、大地は影《かげ》のなかで震えた。

おれは相変わらずまどろみながら、走り続けた。やがて朝日がのぼり、谷は朝霧《あさぎり》のなかで陽気な目覚めをむかえた。夜中に雷雨《らいう》があったあとだけに、空はいっそう澄《す》みわたり、青葉は鮮《あざ》やかさを増《ま》していた。けれども小道の両側には、昨日と同じ茨《いばら》が茂《しげ》っておれの皮膚《ひふ》をひっかき、昨日と同じとがった固い小石が足の下に転がっていた。昨日と同じ蛇《へび》が藪《やぶ》のなかを這《は》いまわり、おれの行く手を脅《おびや》かした。心正しき男の血は、古い世界の体内に流れた。しかしこの世界は、まだ罪《つみ》を知らなかったころの若《わか》さを取り戻《もど》すことはできなかった。

小鳥が頭上に飛んできて、おれにこうさえずりかけた。

『ああ、なんて悲しいことでしょう。体を洗《あら》う澄んだ泉《いずみ》が、どこにも見つからないのです。ごらんなさい。大地は昨日と変わらず敵意《てきい》に満ちている。イエスは死に、草は花を咲《さ》かせません。でもそれは、またひとり人が殺されただけのことなんです』

と」

5

出発を告げるラッパが、まだ鳴り響《ひび》いていた。

「なあ、みんな」とグヌッスが言った。「嫌《いや》な仕事じゃないか、兵士なんて。打ち倒《たお》した敵《てき》の亡霊《ぼうれい》に悩《なや》まされ、ゆっくりと眠《ねむ》ることもできやしない。おれもおまえらと同じく、恐《おそ》ろしい悪夢《あくむ》にずっとうなされ続けたんだ。三十年間も人を殺してきたんだからな。おれには眠りが必要だ。隊に戻《もど》るのはやめにしようじゃないか。おれの知っている谷間の村では、畑を耕《たがや》す手が足りないそうだ。おまえらも、額《ひたい》に汗《あせ》して働く喜びを味わってみようとは思わないか？」

「そうだ、そうしよう」と三人の仲間は答えた。

兵士たちは岩の脇《わき》に大きな穴《あな》を掘《ほ》り、武器《ぶき》を埋《う》めた。それから川に降《お》りて体を洗《あら》うと、四人手を取りあって小道の角に姿《すがた》を消した。

コックヴィル村の酒《さか》盛《も》り

La Fête à Coqueville

1

コックヴィルはグランポールの二里*ほど先、切り立った岩壁《がんぺき》のあいだにたつ小さな村である。潮《しお》に運ばれた貝さながら、断崖《だんがい》の中腹《ちゅうふく》にへばりつくボロ家の前に、美しい砂浜《すなはま》が広がっている。グランポールから左にむかって高台へのぼると、西側に黄色い浜《はま》が続いているのがくっきりと見て取れる。そのさまは、まるで岩の裂《さ》け目から金粉《きんぷん》があふれ出したかのようだ。目がよければ、岩肌《いわはだ》に赤褐色《せっかっしょく》の家が点々《てんてん》としているのもわかるだろう。薄紫《うすむらさき》色の煙《けむり》が巨大《きょだい》な岩山のてっぺんまであがり、空に筋目《すじめ》をつけている。

こんな田舎《いなか》の寒村とあって、かつてコックヴィルの人口が二百に達したことはない。村は海に通じる峡谷《きょうこく》の端《はし》に立っているが、谷を抜《ぬ》ける陸路は曲がりくねり、険《けわ》しい坂が続くため、馬車を走らせるのはむずかしい。そのためコックヴィルは、まるで近隣《きんりん》の村落から百里も離《はな》れているかのように、外界と隔絶《かくぜつ》されていた。グランポールとの行き来も、海路に頼《たよ》るしかない。漁で生計を立てている村民たちは、毎日舟《ふね》でグランポールまで魚を運んだ。海産物の卸業《おろしぎょう》を営《いとな》むデュフー家が、獲物《えもの》を決まった金額《きんがく》で買い取ってくれることになっている。デュフーのおやじが数年前に死んでからは、未亡人《みぼうじん》が店を引き継《つ》いだが、仕事は仲買人のムシェルに任《まか》せていた。ムシェルは金髪《きんぱつ》の大柄《おおがら》な男で、海岸をくまなく歩きまわっては、漁師《りょうし》たちと交渉《こうしょう》をした。いうなればムシェルは、コックヴィルと文明社会をつなぐ唯一《ゆいいつ》の絆《きずな》だった。

コックヴィルは歴史家の興味《きょうみ》を引くに値《あたい》するだろう。村が遥《はる》か昔、マエ家によって作られたのは間違《まちが》いなさそうだ。一家はここへ移《うつ》り住み、断崖の下に根をおろした。まずはマエ家がこの地で栄え、結婚《けっこん》も一族のあいだだけで行われた。なにしろ数世紀ものあいだ、村民の名はすべてマエだったくらいだ。やがて十七世紀、ルイ

＊約八キロ

十三世の時代に、フロッシュと名のる男が村にやって来た。彼《かれ》の出自について、詳《くわ》しいことはわからない。このフロッシュがマエ一族の女と結婚《けっこん》したときから、潮目《しおめ》が変わった。今度はフロッシュ家が数を増《ふ》やし、ついにはマエ家を少しずつ駆逐《くちく》するまでになったのだ。マエ家の人数は減《へ》り始め、その財産《ざいさん》も新参者の手に移《うつ》っていった。フロッシュ家はこの村に、新たな血をもたらした。より強健な体と、海風が吹《ふ》き荒《あ》れる苛酷《かこく》な環境《かんきょう》により適《てき》した気質《きしつ》を。ともあれ今日、コックヴィルを支配《しはい》するのはフロッシュ家だった。

こんなふうに人数や財産の勢力図《せいりょくず》が変化するなかで、恐《おそ》ろしい軋轢《あつれき》が生じることは想像《そうぞう》にかたくない。マエ家とフロッシュ家は反目し合い、両家のあいだには長年にわたる恨《うら》みつらみが積み重なった。落ちぶれたとはいえ、マエ家はかつての征服《せいふく》者《しゃ》たる誇《ほこ》りを失っていなかった。ともあれ、この地に村を築《きず》いた祖先《そせん》は彼らなのだ。マエ家の者たちは、最初に村にやって来たフロッシュのことを、軽蔑《けいべつ》したようにこう語るのだった。あいつは人に物をもらって歩く放浪者《ほうろうしゃ》だったのさ。われわれがお情《なさ》けで、村に迎《むか》え入れてやったんだ。一家の娘《むすめ》を嫁《よめ》にくれてやったのは、かえすがえすも失敗だったけれども、と。彼らの話を聞いていると、まるでフロッシュが残した子孫は、みんな下品な盗人《ぬすっと》であるかのようだ。夜はせっせと子作りに励《はげ》み、昼間は遺産《いさん》をぶん取ることばかり考えていると言わんばかりの口ぶりだった。権勢《けんせい》を誇るフロッシュ家を、マエ家はあらゆる言葉で貶《おとし》めた。ありあまる金でお屋敷《やしき》暮《ぐ》らしをする新興《しんこう》ブルジョワジーを前に、怒《いか》りをたぎらせる没落貴族《ぼつらくきぞく》のように。もちろんフロッシュ家のほうは勝利をひけらかし、わが世の春を謳歌《おうか》して敗者を嘲笑《あざわら》った。時代遅《じだいおく》れのマエ一族を馬鹿《ばか》にしきって、われわれに従《したが》わずば村に住むべからず、と言い放った。フロッシュ家にしてみれば、マエ家の連中など食うや食わずの貧乏人《びんぼうにん》だった。あんなボロ着を着てないで、せっせと繕《つくろ》ったらいいものを、と彼らは眉《まゆ》をひそめた。かくしてコックヴィルの村は、ふたつの派閥《はばつ》が激《はげ》しくいがみ合う場となった。自分たちのほうが優勢《ゆうせい》だというだけで、百三十人の村人が残りの五十人を食い尽《つ》くそうと身構《みがま》えているかのように。二大帝国《ていこく》の戦いもかくありなんと思うほどだ。

近ごろコックヴィルを騒《さわ》がせた争いのなかで特筆すべきは、ファスとチュパンの兄弟抗争《こうそう》と、ルージェ家の派手《はで》な夫婦喧嘩《ふうふげんか》だろう。かつて村人たちには、ひとりひとりあだ名がつけられていたということを、まずはお知りいただきたい。それが今日、正式な姓《せい》となったのである。さもないと、マエとフロッシュばかりの村で誰《だれ》が誰だか区別がつかないからだ。ルージェはおそらく祖先《そせん》に、赤み《ルージェ》がかった金髪《きんぱつ》の男がいたのだろう。ファスとチュパンという名前の由来はわからない。長年のあいだに、もともとの意味が忘《わす》れられてしまったあだ名も少なくなかった。ふたりの母親であるフランソワーズ婆《ばあ》さんは、八十になってもかくしゃくとしていた。彼女《かのじょ》はまずマエ家の男と結婚《けっこん》してファスをもうけたが、夫に先立たれたのち、今度はフロッシュ家の男と再婚《さいこん》してチュパンを生んだ。そんな事情《じじょう》から、異父《いふ》兄弟はいがみ合っていた。遺産《いさん》の問題も絡《から》んでいるだけに、憎《にく》しみはいっそう激《はげ》しかった。一方ルージェ家では、殴《なぐ》り合いの夫婦喧嘩が絶《た》えなかった。夫のルージェは妻《つま》のマリが浮気《うわき》をしていると責《せ》めたてた。浮気相手とされるフロッシュ家のブリズモットは、褐色《かっしょく》の髪《かみ》をした大柄《おおがら》でがっちりした体格《たいかく》の男だった。ルージェはナイフを振《ふ》りかざし、ぶっ殺してやると息巻《いきま》いて、二度も彼《かれ》に襲《おそ》いかかった。ルージェは小柄《こがら》で気が短く、かっとなると何をするかわからない男だった。

しかし目下、コックヴィルの村を沸《わ》き立たせているのは、ルージェ家の夫婦喧嘩でもなければ、チュパンとファスの諍《いさか》いでもなかった。二十歳《はたち》になるマエ家の若者《わかもの》デルファンが、こともあろうにフロッシュ家のなかでも一番の金持ちで、村長を務《つと》めるラ・クーの娘《むすめ》マルゴにぞっこんだという噂《うわさ》で、村はもちきりだったのだ。なにせラ・クーには、皆《みな》が一目置いている。弁髪《ラ・クー》というあだ名は、若《わか》いころの流行にしがみついている老人だった父親が、ルイ・フィリップ時代*になっても長い髪を縛《しば》り、うしろに垂《た》らしている最後のひとりだったところからついたものだ。コックヴィル村には大きな漁船が二隻《せき》あったが、ラ・クーの西風号は荒波《あらなみ》にも負けない、新しくて立派《りっぱ》な船だった。もう一隻《いっせき》は、ルージェが所有するオンボロ船クジラ号だ。

＊一八三〇～四八年

クジラ号の船員はデルファンとファアス。いっぽうラ・クーは西風号を沖《おき》に出すとき、いつもチュパンとブリズモットを引きつれていた。ラ・クーたちはクジラ号のことを、さんざん馬鹿《ばか》にした。あんなポンコツ、そのうち泥船《どろぶね》みたいに波に飲まれてしまうぞと言って。だからクジラ号の新米水夫デルファンが、あつかましくも娘《むすめ》のマルゴにつきまとっていると知って、ラ・クーは頭に血をのぼらせた。そしてマルゴの頬《ほほ》を平手で二度叩《はた》き、マエ家になど決して嫁《よめ》にやらないと思い知らせたのだった。するとマルゴもむきになって、もしデルファンがしつこくまとわりついてきたら、平手打ちのお返しを食《く》らわせてやると怒鳴《どな》った。顔もまともに見たことのない男のせいで叩《たた》かれるなんて、冗談《じょうだん》じゃないわ。十六歳《さい》のマルゴは見てくれこそ貴婦《きふ》人《じん》のように美しいが、気性《きしょう》の激《はげ》しさは男顔負けだった。言い寄《よ》ってくる村の若者《わかもの》など、鼻であしらっているともっぱらの評判《ひょうばん》だ。かくして二発の平手打ちやデルファンの向こう見ずなふるまい、マルゴの怒《いか》りに関する噂話《うわさばなし》で、コックヴィル村が大いに盛《も》りあがったのも、無理からぬところだろう。

しかしマルゴはデルファンがつきまとってくるのを、本当はさほど嫌《いや》がっていないのだと言う者もいた。デルファンはブロンドの髪《かみ》をした若者だった。肌《はだ》は漁師《りょうし》らしくこんがりと日に焼け、豊《ゆた》かな巻《ま》き毛が目のうえと首もとにたれている。ほっそりとした体つきに似合《にあ》わず腕《うで》っぷしは強く、喧嘩《けんか》をすれば自分より三倍も大きな相手でも打ち負かしてしまった。ときにはそっと村を離《はな》れ、グランポールで一夜を明かすこともあるという。そのせいで、若《わか》い娘たちのあいだでは〈狼男《おおかみおとこ》〉と呼《よ》ばわりされていた。あいつったら、きっと変なことしてるんだわ。なんでもかでも楽しそうなことを、娘たちはそのひと言ですませるのだ。マルゴはデルファンの話となると、やけに熱がこもった。あの男、嫌らしい顔してにやにや笑いながら、ぎらつく細い目でわたしを見てるのよ。わたしが蔑《さげす》もうが怒ろうが、そんなこと少しもおかまいなし。門の前をうろうろしたり、茂《しげ》みのあたりに隠《かく》れたりして、何時間もそっとわたしのほうをうかがっているの。小鳥を狙《ねら》う猫《ねこ》みたいに忍耐強《にんたいづよ》く、機敏《きびん》そうに。はっと気づくと、すぐうしろにいることもあるわ。熱い息が感じられるほど。それでもすぐには逃《に》げようとせず、悲しげな顔でおとなしくこっちを見てるものだから、わたしはすっかり呆気《あっけ》に取られてしまい、彼《かれ》が遠くに離《はな》れてようやく怒《いか》りがこみあげてくるしまつ。そんなところを父さんに見つかったら、また頬《ほほ》を叩《はた》かれちゃうじゃないの。もう、いいかげんにして欲《ほ》しいわよ。そしてマルゴは、いつかデルファンに往復《おうふく》びんたをお見舞《みま》いすると誓《ちか》うのだった。しかしそれを実行に移《うつ》す気配は、いっこうになかった。いくら彼が目の前にいても、好機を生かそうとしない。だったらそんなにぺらぺらと話さないほうがいいのに、とみんなは思った。結局、自分が叩《たた》かれるだけなんだから。

とはいえ、マルゴがいつかデルファンの妻《つま》になるとは、誰《だれ》ひとり考えていなかった。彼女《かのじょ》みたいな美人でも、迫《せま》られると案外弱いかもしれないと思うだけで。なにしろデルファンはマエ家のなかでも、きわめつけのすかんぴんだ。結婚《けっこん》するといったって、ろくすっぽ服も持っていない。そんな男と、フロッシュ家いちの金持ちで、村長もしているラ・クーの跡《あと》とり娘《むすめ》が結婚するなんて、とうていありえないだろう。

いやいや、マルゴはあいつとできちまうかもしれないぜ、などと言う口さがない連中もいた。それでも、結婚となれば話は別だ。金持ちの娘なんだから、好き勝手に楽しむがいいさ。しかしきちんとした分別さえあれば、羽目をはずすようなことはない。そんなこんなでコックヴィルの村は、この出来事に興味津々《きょうみしんしん》だった。はたしてことのなりゆきは？　デルファンは二発の平手打ちを食らうだろうか？　それともマルゴはどこか切り立った岩陰《いわかげ》で、頬にキスを許《ゆる》すのか？　さあ、お立会い。平手打ちだと言う者もいればキスだと言う者もいて、コックヴィルの村は大騒《さわ》ぎだった。

村のなかで司祭と農村保安官《ほあんかん》のふたりだけは、マエ家の人間でもフロッシュ家の人間でもなかった。農村保安官は背《せ》の高い、不愛想な男で、本名は誰も知らないが、みんなに「皇帝《こうてい》」と呼《よ》ばれていた。きっとシャルル十世*の時代に、軍務《ぐんむ》についていたからだろう。保安官といっても、むき出しの岩に覆《おお》われ、砂漠《さばく》のような荒地《あれち》が広がるこの地方をまともに管理する気など、実のところ端《はな》からなかった。うしろ盾《だて》に

＊一八二四〜三〇年

なってくれている郡長にあてがわれた閑職《かんしょく》でささやかな禄《ろく》を食《は》み、のんびり暮《く》らしているだけだ。ラディゲ神父はと言えば、どこの司教区でも愛想をつかされたあげく、ど田舎《いなか》に赴任《ふにん》してきたうだつのあがらないぼんくら司祭のひとりだった。岩と格闘《かくとう》した末に勝ち取ったちっぽけな畑を、自ら鍬《くわ》を取って耕《たがや》し、パイプをふかしながら野菜の生育を眺《なが》めるのが楽しみの律儀者《りちぎもの》だ。ただひとつの欠点は、ろくすっぽ味などわからないくせに、やたらに食い意地が張《は》っていることで、自分でも抑《おさ》えが効《き》かないほど鯖《さば》とリンゴ酒には目がなかった。それでも信者たちには慕《した》われているのか、遠くからはるばるミサに来る者もいて、神父はご満悦《まんえつ》だった。

とはいえ、長年中立を貫《つらぬ》いてきた神父と農村保安官《ほあんかん》も、ついには立場をはっきりさせねばならなくなった。かくして皇帝《こうてい》はマエ家につき、ラディゲ神父はフロッシュ家に肩入《かたい》れすることとなった。それによって、事態《じたい》はいっそうややこしくなった。朝から晩《ばん》まで暇《ひま》を持て余《あま》し、グランポールを出る船を数えて暮らすのにも飽《あ》き飽きしていた皇帝は、村の治安にひと役買おうと思い立った。社会のバランスを保《たも》とうという密《ひそ》かな本能《ほんのう》が働いたのか、マエ家の支持者《しじしゃ》となった彼《かれ》はファアスの肩《かた》を持ってチュパンに対抗《たいこう》したり、ルージェの女房《にょうぼう》とブリズモットとの浮気現場《うわきげんば》を押《お》さえようとしたりしたが、デルファンがマルゴの家の庭に忍《しの》びこむのを目にしても、見て見ぬふりをするのだった。困《こま》ったことにそうしたふるまいのせいで、上司である皇帝ラ・クー村長とのあいだに深刻《しんこく》な対立が生じることになった。規律《きりつ》を重んじる皇帝は、村長の叱責《しっせき》をおとなしく聞きはするものの、またぞろ好き勝手にふるまい始めるのだった。その結果、コックヴィル村の公権力《こうけんりょく》は混乱《こんらん》をきたした。村長の名前を掲《かか》げた納屋《なや》の前を通ると、決まってふたりが怒鳴《どな》り合う大きな声が聞こえた。一方、勝ち誇《ほこ》ったフロッシュ家についたラディゲ神父は、おいしい鯖を山ほどふるまわれた。彼はルージェの女房が夫に楯突《たてつ》くようこっそりとそそのかし、マルゴにはデルファンに指一本触《ふ》れさせてはいけないと釘《くぎ》を刺《さ》した。そんなことをしたら、地獄《じごく》の業火《ごうか》に焼かれることになると。つまるところ村は、まったくの無政府状態《むせいふじょうたい》に陥《おちい》っていた。反乱軍《はんらんぐん》が市民の権利《けんり》を押さえつけ、宗教《しゅうきょう》がブルジョワの逸楽《いつらく》に媚《こび》を売っている。百八十人の村民たちが広大な海と果てしない空を前に、狭苦《せまくる》しい小さな村で互《たが》いを貪《むさぼ》り合っている。

上を下への大騒《さわ》ぎが続くコックヴィル村で、ひとりデルファンは恋《こい》する若者《わかもの》らしい笑みを絶《た》やさなかった。マルゴがおれのものになりさえすればと、それだけを望んで。ウサギに罠《わな》をしかけるみたいに、彼《かれ》はマルゴにつきまとった。のぼせあがった無作法者に見えて、案外道理もわきまえているのだろう、神父にきちんと結婚式《けっこんしき》をあげてもらいたいと思っていた。そうすれば、喜びが長続きするからと。

ある晩《ばん》マルゴは、小道で待ちぶせしていたデルファンにとうとう手をあげた。けれども結局は、ただ顔を真っ赤にさせるだけに終わった。というのも、デルファンはふりおろされた手をつかみ、熱烈《ねつれつ》な口づけをしたから。

マルゴが震《ふる》えているのを見て、デルファンは小声で言った。

「好きなんだ。結婚《けっこん》しよう」

「絶対《ぜったい》に嫌《いや》！」とマルゴはむきになって答えた。

デルファンは肩《かた》をすくめ、やさしい穏《おだ》やかな表情《ひょうじょう》をした。

「そんなこと言うなよ……。おれたち、とっても合うと思うんだ。きっと楽しく暮《く》らせるさ」

2

日曜日、空は大荒《おおあ》れだった。そんな九月の嵐《あらし》が、ときにグランポールの岩浜《いわはま》を襲《おそ》うことがあった。日暮《ひぐ》れ近くになって、難破船《なんぱせん》が風に流されてくるのが見えた。けれども、すでに闇《やみ》が深まっている。コックヴィルの村民は、救助をさしむけようとはしなかった。西風号もクジラ号も、昨日から舫《もや》いだままだった。浜の左側にある天然の港で、花崗岩《かこうがん》の暗礁《あんしょう》に左右を挟《はさ》まれている。ラ・クーもルージェも、あえて船を出さずにいた。ただ間の悪いことに、デュフー未亡人《みぼうじん》の店のムシェルがわざわざやって来て、はっぱをかけていったあとだった。一生懸命《いっしょうけんめい》漁に励《はげ》めば、特別手当をはずむと言って……。魚介類《ぎょかいるい》が不足しているので、市場から苦情《くじょう》が出ているのだ。そんなわけで、まだ雷雨《らいう》が続く日曜日の晩《ばん》、コックヴィルの村民たちはぶつくさこぼしながら床《とこ》についた。毎度のことだ。注文が増《ふ》えるときに限《かぎ》って魚はとれない。そして彼《かれ》らは、嵐《あらし》のなかを流されていた船のことを口々《くちぐち》に話した。今ごろあの船は、海の底だろうと。

翌日《よくじつ》の月曜日、空はあいかわらず薄暗《うすぐら》かった。海もまだうなり声をあげ、静まる気配はない。風はすっかり治まっていたものの、激《はげ》しい大波が打ち寄《よ》せていた。それでも午後になると、二隻《せき》の船は海に出た。四時ごろ、西風号が手ぶらでもどってきた。船員のチュパンとブリズモットが港に船を舫《もや》うあいだにも、ラ・クーは怒《いか》りが収《おさ》まりやらず、海にむかって拳《こぶし》をふりあげた。ムシェルが漁の獲物《えもの》を待っているのに！　マルゴも村民の半分といっしょに海辺に立ち、嵐が去ったあとまで続く高波を眺《なが》めていた。海と空を恨《うら》みたくなる気持ちは、父親と同じだ。

「クジラ号はどこに？」と誰《だれ》かがたずねた。

「ほら、岬《みさき》のむこうさ」とラ・クーは答えた。「でもこんな天気だからな、あのボロ船が無事に戻《もど》ってきたらおなぐさみだ」

彼は馬鹿《ばか》にしきったように鼻を鳴らし、「マエ家の連中は命がけさ」と言い放った。「一文なしじゃ、あとはくたばるだけだろうよ。ムシェルになんと言われようが、おれはごめんだね」

そのあいだにもマルゴは、クジラ号が裏《うら》にいる岬のほうをじっと見つめていた。

「父さん」と彼女《かのじょ》はたずねた。「あっちはなにかとれたの？」

「あいつらが？　とれるわけないだろ」とラ・クーは叫《さけ》んだ。

彼は怒りが収まったのか、にやにや笑っている皇帝《こうてい》のほうを見ながら静かにこう続けた。

「獲物があったかどうかなんて、知ったことか。どうせいつだってなんにもとれないんだから……」

「でも今日は、収穫《しゅうかく》があったようだ」と皇帝は意地悪く言った。「そう見えましたがね」

ラ・クーは怒《おこ》って言い返そうとしたが、ちょうどそこにラディゲ神父がやって来て彼《かれ》をなだめた。神父も教会の屋上から、クジラ号の様子をうかがっていたのだ。どうやら船は、大きな魚を追っているらしい。この知らせに、コックヴィル中が沸《わ》き立った。海岸に集まった人々《ひとびと》のなかには、マエ家の者もいればフロッシュ家の者もいた。マエ家はクジラ号がすばらしい成果をあげてくることを望み、フロッシュ家は獲物《えもの》なんかありませんようにと祈《いの》った。

マルゴはぴんと背《せ》を伸《の》ばし、一心に海を見つめている。

「ほら、あそこ」彼女《かのじょ》はひと言そう言った。

はたして、岬《みさき》のむこうに黒い斑点《はんてん》が見えた。

皆《みな》がそちらに目をむけた。まるでコルク栓《せん》が海に浮《う》かび、ゆらゆらと揺《ゆ》れているかのようだ。皇帝《こうてい》はいくら目を凝《こ》らしてもわからなかった。コックヴィルの村民でなければ、この距離《きょり》からクジラ号やその乗組員を判別《はんべつ》できない。

「見て！」村でいちばん目のいいマルゴが、また口をひらいた。「ファスとルージェが船を漕《こ》いで……。ちびすけは船首に立ってるわ」

マルゴはデルファンのことを名前ではなく、いつもちびすけと呼《よ》んでいた。みんな船を目で追いながら、あの奇妙《きみょう》な動きはどういうわけだろうと首をひねった。神父が言うように、前を泳いでいる魚を追っているように見える。だが、ふつうはそんなことはしない。きっと網《あみ》を引っぱられているんだ、と皇帝は主張《しゅちょう》した。いや、あの怠《なま》け者ども、ただふざけているだけさ、とラ・クーは大声で言い返した。アザラシをとっているわけじゃあるまいし！　この冗談《じょうだん》に、フロッシュ家は大笑いした。いっぽうマエ家の者たちは、むっとしたようにこう言った。ルージェは肝《きも》のすわった男だから、命がけで漁をしてるのさ。ほかのやつならちょっとばかし風が出ただけで、陸《おか》に逃《に》げ帰ってくるときでもね。あわや大乱闘《らんとう》になりそうな気配を察し、ラディゲ神父はまたしても仲裁《ちゅうさい》に入らねばならなかった。

「どうしたのかしら？」とマルゴが叫《さけ》んだ。「船が戻《もど》っていくわ」

みんなはにらみ合いをやめ、水平線を見つめた。

クジラ号は再《ふたた》び岬《みさき》のうしろに姿《すがた》を隠《かく》した。今度はラ・クーが心配になった。船があんな動きをするなんて、どうにも説明がつかない。ルージェは本当に魚をとっているのかもしれないと思うと、腹《はら》が立ってしかたなかった。代わりばえのしない光景が続くだけなのに、誰《だれ》ひとり浜《はま》を離《はな》れようとしない。もう二時間近くも立ったまま、ときおり姿を見せてはまた隠れるクジラ号を、ひたすら目で追っていた。やがて船は、すっかりどこかに消えたきりになった。ラ・クーは怒《いか》り心頭に発し、きっと沈《しず》んでしまったのだと断言《だんげん》した。よくよく考えれば、まったく縁起《えんぎ》でもない話なのだけれど。ちょうどルージェの女房《にょうぼう》がブリズモットといっしょにいたものだから、ラ・クーはにやにや笑いながらふたりを見つめた。それからチュパンの肩《かた》をたたいて、弟のファスが死んだのは気の毒だったと、早くもお悔《く》やみを言うのだった。けれども娘《むすめ》のマルゴが黙《だま》って背伸《せの》びをし、じっと遠くを眺《なが》めているのを見て笑うのをやめた。きっとデルファンのことを思っているのだろう。

「何してるんだ、マルゴ？」彼《かれ》は娘を叱《しか》りつけた。「うちに帰ってろ……。変な気を起こすなよ」

けれどもマルゴは動こうとしなかった。そして突然《とつぜん》、こう言った。

「ああ、見えたわ！」

驚《おどろ》きの叫《さけ》びがあがった。ひと一倍目のいいマルゴは、船のうえには人影《ひとかげ》がないと断言した。デルファンだけでなく、ルージェもファスもいない。クジラ号は見捨《みす》てられたかのように、風に流され絶《た》えず船首のむきを変えながら、けだるそうに揺《ゆ》れていた。さいわい西風が吹《ふ》き始め、船は陸地にむかい始めた。けれどもそよ風の気まぐれで、あっちにこっちにと寄《よ》り道を続けている。ほかの村人も皆声《みな》をかけ合って、ぞろぞろと浜に降《お》りてきた。家に残ってスープの火かげんを見ようという娘は、ひとりもいなかった。なにかとてつもない、大変なことが起きたのだ。誰もが大慌《あわ》てで、右往左往《うおうさおう》していた。ルージェの女房マリは少し考えたあと、ここは涙《なみだ》に暮《く》れる場面だと判断《はんだん》した。チュパンは、精一杯《せいいっぱい》悲しげな顔をして見せた。マエ家は嘆《なげ》き悲しみ、フロッシュ家は懸命《けんめい》に神妙《しんみょう》な表情《ひょうじょう》を作った。マルゴは足から力が抜《ぬ》けたみたいに、へなへなとすわりこんだ。

「いつまでここにいる気だ」ラ・クーは足もとの娘《むすめ》をにらみつけて怒鳴《どな》った。

「もうくたくただわ」マルゴはそう答えただけだった。

彼女《かのじょ》は両手を頬《ほほ》にあてて海をふり返ると、指先で目を隠《かく》し、船を見つめた。船は千鳥足で歩く酔《よ》っぱらいみたいに、波間で揺《ゆ》れている。

いったい何があったのか、まわりの野次馬たちは口々《くちぐち》に言い合った。三人は海に落ちたんじゃないか？　いや、三人いっぺんになんておかしいだろ？　クジラ号は腐《くさ》って破裂《はれつ》した卵みたいに、底が抜《ぬ》けたんだろうさ、とラ・クーは主張《しゅちょう》した。でも、船はまだ海に浮《う》かんでいるじゃないか、と、みんなは肩《かた》をすくめた。そこでラ・クーは自分が村長だったことを思い出し、まるで三人が本当に死んでしまったかのように、後始末の話を始めた。

「いいかげんにしたらどうです」と皇帝《こうてい》が叫《さけ》んだ。「そんな犬死《いぬじ》に、誰《だれ》がするもんですか。もし三人が海に落ちたのなら、とっくにデルファンはここに泳ぎ着いているはずだ」

たしかにそのとおりだ、と認《みと》めざるをえなかった。デルファンは魚みたいにうまく泳ぐのだから。だったら三人は、いったいどこに消えたのだろう？「そういうことさ」「違《ちが》うって」「馬鹿馬鹿《ばかばか》しい」「馬鹿はおまえだ」などと、あっちからもこっちからも声があがった。あたりは険悪《けんあく》な雰囲気《ふんいき》に包まれ、今にも殴《なぐ》り合いが始まりそうだ。ラディゲ神父はあいだに入ってなだめねばならず、皇帝は混乱《こんらん》をおさめようと周囲を一喝《いっかつ》した。そのあいだにも、船は目の前で悠然《ゆうぜん》とダンスを続けている。まるで人々《ひとびと》を小馬鹿にするような、軽やかなワルツのステップで。潮《しお》の流れに身をまかせ、陸地にむかってうやうやしいリズミカルなおじぎを繰《く》り返しながら。まったくもって、どうかしてるぞ、あの船は。

マルゴは両手を頬にあてたまま、あいかわらずじっと海を見ていた。一艘《そう》のボートが港を出て、クジラ号のもとへむかったところだった。ブリズモットがとうとうしびれを切らしたのだ。一刻《いっこく》も早くルージェの女房《にょうぼう》に、たしかなことを知らせたいと思ったのだろう。かくしてコックヴィル村じゅうの関心がボートに集まり、喧騒《けんそう》はいや増《ま》した。あいつめ、なにかわかったのか？　クジラ号は謎《なぞ》めいた、嘲《あざけ》るようなようすで進んでいく。とうとうブリズモットが立ちあがり、クジラ号のロープを首尾《しゅび》よくつかんで船のなかをのぞきこんだ。観衆《かんしゅう》はみな、息をのんだ。そのとき突然《とつぜん》ブリズモットが笑い出し、みんなは呆気《あっけ》にとられた。いったい何がそんなにおかしいんだ？

「おおい、どうした？」村人は叫《さけ》んだ。

ところがブリズモットは答える代わりに、いっそう大声で笑うばかりだった。いいから自分で見に来いよ。彼《かれ》はそんな身ぶりをすると、クジラ号をボートにつないで引き始めた。やがてコックヴィルの村民たちは、思いがけない光景に仰天《ぎょうてん》することになる。

船底には酩酊《めいてい》したルージェ、デルファン、ファアスの三人が拳《こぶし》を握《にぎ》りしめてあおむけに寝《ね》そべり、軽い寝息《ねいき》を立てながらすやすやと眠《ねむ》っているではないか。三人のあいだには、底の抜《ぬ》けた小さな樽《たる》があった。中身の詰《つ》まった樽を海で見つけ、中身を味わったというわけらしい。よほどおいしかったのだろう。三人はすっかり飲み干《ほ》してしまったのだから。一リットルくらいは船のなかに流れ落ち、海水と混《ま》ざってしまっただろうが。

「まあ、この恥知《はじし》らずが！」ルージェの女房《にょうぼう》はめそめそするのをやめ、いきなり怒《ど》鳴《な》りつけた。

「こいつらにふさわしい収穫《しゅうかく》ってわけだ」とラ・クーは、わざと吐《は》き捨《す》てるように言った。

「たしかに」と皇帝《こうてい》が答える。「誰《だれ》だってその力量に見合ったものしかとれませんからね。とにもかくにも彼らは樽を釣《つ》りあげたが、魚一匹《ぴき》釣れなかった者もいる」

村長はむっとしたように黙《だま》りこんだ。村民たちの喧々囂々《けんけんごうごう》が始まった。なるほど、船も酔《よ》っぱらうと、人間様と同様に足もとがおぼつかなくなるらしい。実際《じっさい》、クジラ号はたらふく酒を浴びていたからな。ああ、この大酒飲みのごろつきめ！　家の帰り道もわからなくなった酔《よ》いどれよろしく、海のうえで大宴会《えんかい》ってわけか。大笑いする者もいれば、腹《はら》を立てる者もいた。マエ家は大いに愉快《ゆかい》がり、フロッシュ家はけしからんことだと顔をしかめる。みんなクジラ号を取り囲み、首を伸《の》ばして目を見ひらき、まじまじと眺《なが》めた。大の男三人が折り重なるように横たわり、心地よさそうに眠《ねむ》りこけている。人が集まっているのにも気づかず、罵《のの し》り声も笑い声も耳に入っていないようだ。この飲み助《すけ》が、とルージェの女房《にょうぼう》が叱《しか》りつけた。けれども亭主《ていしゅ》には、まったく聞こえていなかった。ファスは弟のチュパンに脇腹《わきばら》を蹴《け》られても、どこ吹《ふ》く風というようすだ。デルファンはと言えば、気持ちよさそうに眠る顔がいっそう魅力《みりょく》的だった。ほんのり色づいたバラ色の頬《ほほ》に、ブロンドの髪《かみ》が映《は》えている。マルゴは立ちあがり、厳《きび》しい表情《ひょうじょう》でじっと彼《かれ》を見つめた。

「寝《ね》かせておけよ」と誰《だれ》かが叫《さけ》んだ。

ちょうどそのときデルファンが目をあけ、とろんとした酔眼《すいがん》でまわりの人々《ひとびと》を見まわした。あっちからもこっちからも質問《しつもん》が飛んだ。あまりの勢《いきお》いに、デルファンは頭がくらくらした。まだ酔いが醒《さ》めていなかっただけになおさらだ。

「どうしたって?」彼は口ごもるように言った。「ちっちゃな樽《たる》が浮《う》かんでて……。魚はまったくいなかったから、樽を拾いあげたんだ」

デルファンの話はいっこうに進まなかった。ひと言ごとに「ありゃ、うまかった」とつけ加える。

「樽の中身は何だったんだ?」と人々は腹立《はらだ》たしげにたずねた。

「よくわからないが……。ありゃ、うまかった」

そう言われると、みんな知りたくてたまらなくなった。樽に鼻を近づけ、くんくんと匂《にお》いを嗅《か》いでみる。こいつはリキュール酒だろうということで、衆目《しゅうもく》が一致《いっち》したけれど、ただどんなリキュールかが誰にもわからない。およそ人が飲みうる酒ならすべて試したことがあると豪語《ごうご》する皇帝《こうてい》が、味見してみようと申し出た。彼は船底に残った液体《えきたい》を少し、もったいぶった様子で手のひらに取った。みんないっせいに黙《だま》りこみ、じっと待ちかまえた。皇帝《こうてい》はひと口すすると、まだよくわからないとでもいうように首を横にふり、さらに二度、口をつけた。けれども彼《かれ》はますます困《こん》惑《わく》し、びっくりしたような、不安げな顔でこう言った。

「はてさて、こいつは奇妙《きみょう》だぞ……。海水が混《ま》じっていなければ、わかるんだが……。まったくもって、こいつは奇妙だ」

村人たちは顔を見合わせた。皇帝にもわからないなんてと、ただ唖然《あぜん》とするばかりだった。コックヴィルじゅうが恐《おそ》れ入ったように小さな空の樽《たる》を見つめた。

「ありゃ、うまかった」皆《みな》をからかうかのように、デルファンがまた繰《く》り返した。それから彼は大きな身ぶりで海を指さし、こうつけ加えた。

「欲《ほ》しけりゃ、ほかにもまだあるさ……。小さな樽が浮《う》かんでるのを、いくつも見たからな。どんぶらこ……、どんぶらこって……」

デルファンはそんなふうに口ずさみ、体を揺《ゆ》すりながらマルゴをやさしく見つめた。たったいま、彼女《かのじょ》に気づいたのだ。

マルゴは怒《おこ》って手をふりあげた。ところがデルファンは目を閉《と》じようともせず、穏《おだ》やかな表情《ひょうじょう》で平手打ちを待っている。

ラディゲ神父もこの正体不明の美酒に興味《きょうみ》を引かれ、船底に指を浸《ひた》してなめてみた。そして皇帝同様、首を横にふった。うむ、やっぱりわからんな。いやはや、驚《おどろ》きだ。

それでもこの樽が、日曜日の晩《ばん》に見かけた難破船《なんぱせん》の漂流物《ひょうりゅう》だろうという点で、皆の意見は一致《いっち》した。イギリスの貨物船がよくこんなふうに、極上のリキュールやワインをグランポールの港に運んでくるのだ。

少しずつ日が暮《く》れ始めると、ようやくみんな薄暗《うすくら》がりのなかを家路についた。けれどもラ・クーは、口にできない思いに捕《と》らわれ、苦しんでいた。彼は立ちどまり、最後にもう一度デルファンの言葉を聞いた。若者《わかもの》は運び去られるときも、歌うような口調で繰り返していた。

「小さな樽がいくつも……。どんぶらこ、どんぶらこ……。欲しけりゃ、まだあるさ」

3

その晩《ばん》を境《さかい》に、空模様《そらもよう》は一変した。翌朝《よくあさ》、コックヴィル村が目覚めると、明るい太陽が輝《かがや》いていた。海にはさざ波ひとつなく、まるで大きな緑のサテンのようだ。やがて気温はぐんぐんとあがってきた。金色の光がまぶしい、暑い秋の一日だった。ラ・クーは村いちばんの早起きだった。けれども床《とこ》を出たとき、夜の夢《ゆめ》でまだ頭がぼんやりしていた。彼《かれ》はしばらく右左《みぎひだり》と海を眺《なが》めていたが、「ともかくムシェルの希望に沿《そ》わにゃならん」とむっつり顔で言った。そしてチュパン、ブリズモットを引きつれ、船にむかった。言いつけどおりにしないとお仕置きだからなと、マルゴには釘《くぎ》を刺《さ》しておいた。西風号が港を出るとき、クジラ号はもやい綱《づな》につながれたまま揺《ゆ》れていた。ラ・クーはそれを見てにやりとし、こう叫《さけ》んだ。

「今日は使いものにならんな……。ほっときゃいいさ、あいつら、まだ寝《ね》ていやがる」

西風号が沖《おき》に着くなりラ・クーは網《あみ》を広げ、それから大海老やヒメジをとる細長い仕掛《しか》け籠《かご》のなかをたしかめにむかった。せっかく海が静まったというのに、仕掛け籠はどれも空っぽだった。最後のひとつに小さな鯖《さば》が一匹《ぴき》、嘲笑《あざわら》うかのようにかかっていただけだ。ラ・クーはそれを腹立《はらだ》たしげに海に投げ捨《す》てた。決まってそんな具合なのだ。ムシェルがどうしても獲物《えもの》を調達して欲《ほ》しいと言うときに限《かぎ》って、魚どもは何週間もずっとコックヴィルを嘲弄《ちょうろう》し続ける。一時間後、ラ・クーが網を引きあげると、海藻《かいそう》がひと山入っていただけだった。彼は拳《こぶし》を握《にぎ》りしめ、罵《のの》り声をあげた。青空の下、まるで磨《みが》きあげた銀板みたいに静かで穏《おだ》やかな海が、どこまでも広がっている。それだけに、ラ・クーはいっそう腹立たしかった。西風号は少しの揺れもなく、ゆっくりと滑《すべ》るように海上を進んだ。もう一度網を投げたら引き返すことにしよう、とラ・クーは心に決めた。午後になったら、また見に来ればいい。次もだめだったら、覚えておけよ。彼は神様や聖人《せいじん》たちを口汚《くちぎたな》く罵った。

ルージェ、ファス、デルファンは、そのあいだもずっと眠《ねむ》りこけていた。ようやく三人が起きてきたのは、昼食のころだった。昨日のことは、皆目《かいもく》覚えていないという。ただ得体の知れないおかしな飲み物で、いい気持ちになったことのほかは。午後、三人が港にやってきた。そろそろ頭もしゃきっとした頃合《ころあ》いだろうと、皇帝《こうてい》が彼《かれ》らを問いただした。あの酒は、ブランデーに甘草《かんぞう》エキスを混《ま》ぜたものじゃないか？　あるいはラム酒を蒸留《じょうりゅう》し、甘《あま》みをつけたのかも。三人はそうだと言うこともあれば、違《ちが》うと言うこともあった。彼らの返答から、皇帝は果実酒《ラタフィア》だろうとあたりをつけたが、断言《だんげん》はできなかった。その日、ルージェとふたりの仲間は脇腹《わきばら》が痛《いた》くて、漁には出られなかった。それにラ・クーが朝から船を出したものの、収穫《しゅうかく》がなかったのを知っていたので、翌日《よくじつ》を待って仕掛《しか》け籠《かご》をのぞいてみようと話し合った。三人とも岩に腰《こし》かけて背《せ》を丸め、潮《しお》が満ちてくるのを眺《なが》めていた。口が粘《ねば》つき、半分眠《ねむ》っている。

ところがデルファンが、はっと目覚めた。彼は岩のうえに飛び乗り、遠くを見つめながら叫《さけ》んだ。

「ほら、見て、船長……、あそこを」

「どうした？」ルージェは伸《の》びをしながらたずねた。

「樽《たる》があります」

ルージェとファスもすぐに立ちあがり、目を輝《かがや》かせて水平線を凝視《ぎょうし》した。

「どこだ？　どこに樽があるって？」ルージェは興奮《こうふん》気味に繰《く》り返した。

「あそこです……。左側に、黒い点が」

あとのふたりにはなにも見えなかった。やがてルージェが罵声《ばせい》をあげた。

「おいおい、冗談《じょうだん》じゃないぞ」

豆粒《まめつぶ》ほどの樽が、ちょうど目に入ったのだ。傾《かたむ》き始めた太陽の光を受け、白い水面に浮《う》いている。ルージェはクジラ号にむかって走り出した。デルファンとファスも思いきり足をふりあげ、小石をはね飛ばしながらあとを追った。

クジラ号は港を出た。そのころにはもう、樽が見つかったという知らせは村中に広がっていた。女も子供《こども》も、こぞって浜《はま》へ走り始めた。みんな口々《くちぐち》に、こう叫んでいる。

「樽《たる》だ、樽だ！」

「見える？　グランポールのほうへ流されていくわ」

「あそこよ。左側に……、樽が！　早く来て」

村人たちは岩山を駆《か》けおりた。子供《こども》たちは転がるように疾走《しっそう》し、女たちはもっとスピードをあげようと両手でスカートをたくしあげている。やがて昨日と同じく、村中の人々《ひとびと》が浜《はま》に集まった。

マルゴも一瞬《いっしゅん》、姿《すがた》を見せたけれど、早く父親に知らせなくてはと、すぐまた家に戻《もど》った。調書のことで皇帝《こうてい》と話し合っていたラ・クーが、ようやくあらわれた。彼《かれ》は青ざめ、農村保安官《ほあんかん》に言った。

「いいかげんにしろ……。ルージェのやつ、おれの目をごまかそうとおまえをよこしたんだな。その手に乗るか。今に見てろよ」

クジラ号の三人はすでに三百メートル先で、遥《はる》かかなたに浮《う》かぶ黒い点めざしせっせとオールを動かしていた。それを見て、ラ・クーはかっと頭に血がのぼった。

彼はチュパンとブリズモットを西風号へと急き立て、何度もこう叫《さけ》びながら船を出した。

「あれをやつらに取られるくらいなら、死んだほうがましだぞ」

こうしてコックヴィルの村人たちは、西風号とクジラ号のあいだで繰《く》り広げられる、手に汗握《あせにぎ》るレースを目の当たりにすることとなった。クジラ号は西風号が出港するのを見て危険《きけん》を察知し、全速力で走り始めた。おかげで、四百メートル近く引き離《はな》すことができた。けれどもチャンスは五分五分だった。というのも西風号のほうが軽くて、スピードが出るからだ。かくして、浜辺《はまべ》の興奮《こうふん》は絶頂《ぜっちょう》に達した。マエ家とフロッシュ家は自然とふた組に分かれ、それぞれ味方の船を応援《おうえん》しながら、固唾《かたず》をのんでレースのなりゆきを追った。初めはクジラ号がリードを保《たも》っていた。しかし西風号に弾《はず》みがつくと、差はじわじわと縮《ちぢ》まっていった。クジラ号も負けまいと、しばらくは必死にがんばっていたが、再《ふたた》び追いあげられ始めた。西風号がものすごい勢《いきお》いで、背後《はいご》に迫《せま》ってくる。こうなると、二隻《せき》の船が樽の近くで対峙《たいじ》するのはもう明らかだった。勝負の行方は状況次第《じょうきょう》。ほんのわずかな失敗でも、致命傷《ちめいしょう》になりかねない。

「クジラ号、がんばれ！」とマエ家の人々《ひとびと》は叫《さけ》んだ。

しかしその声はすぐに止んだ。クジラ号が樽《たる》に達しようとしたとき、西風号が大胆《だいたん》な動きで前に割《わ》りこんだのだ。西風号は樽を左に弾《はじ》き飛ばすと、先にフックのついた竿《さお》を伸《の》ばした。

「西風号！　西風号！」とフロッシュ家も叫ぶ。

おい、汚《きたな》いぞ、と皇帝《こうてい》が言ったものだから、罵詈雑言《ばりぞうごん》の応酬《おうしゅう》が始まった。マルゴは拍手喝采《はくしゅかっさい》をしている。聖務日課《せいむにっか》書を手におりてきたラディゲ神父が重々《おもおも》しい口調でたしなめたので、みんなははっとして黙《だま》りこんだ。

「彼《かれ》らも、全部飲んでしまうんだろうな」神父は浮《う》かない顔でつぶやいた。

海上ではクジラ号から西風号にむけ、激《はげ》しい反撃《はんげき》が開始された。ルージェはラ・クーを盗人《ぬすっと》呼《よ》ばわりし、ラ・クーはルージェにぼんくら野郎《やろう》と言い返した。ほかの乗組員も敵《てき》をぶちのめそうと、手にオールをつかんでいる。まさに一触即発《いっしょくそくはつ》。もう少しで海上戦が勃発《ぼっぱつ》しそうだ。けれども勝負の決着は、陸《おか》でつけようということになった。男たちは互《たが》いに拳《こぶし》をふりあげ、今度会ったら腹《はら》をかっさばいてやると息巻《いきま》くのだった。

「悪党《あくとう》め」とルージェはうめいた。「樽は昨日のやつよりでかかったぞ……。それにこっちは黄ばんでいて。さぞかしうまいだろうな」

それから、落胆《らくたん》したようにこう続けた。

「さあ、仕掛《しか》け籠《かご》を見に行こう……。きっと大海老が入っているさ」

こうしてクジラ号はのろのろと遠ざかり、左側の岬《みさき》にむかった。

西風号ではラ・クーが樽を前に、チュパンとブリズモットを怒鳴《どな》りつけていた。フックを引っかけたはずみで樽のたががゆるみ、赤い液体《えきたい》が染《し》み出ている。それをふたりが指先でぬぐい、ぺろぺろなめていたのだ。こいつはうめえや、とふたりは言った。コップ一杯《いっぱい》飲んだところで、どうということもなかろうが、ラ・クーはそれを許《ゆる》さなかった。彼《かれ》はたがをしっかりはめなおすと、勝手に飲んではいかん、と念を押《お》した。誰《だれ》が最初に口をつけるか、陸《おか》に着いたら話し合おうと。

「それじゃあ、仕掛《しか》け籠《かご》を引きあげに行きますか？」

と、チュパンが不機嫌《ふきげん》そうにたずねる。

「ああ、ぼちぼちな。あわてることはないさ」とラ・クーは答えた。

彼もなめるように樽《たる》を眺《なが》めていた。すぐに戻《もど》ってこいつを味わいたい。そう思うと、手足から力が抜《ぬ》けていくような気がした。魚のことなんか、かまっていられるか。

「まあいい、引き返そう」ラ・クーはしばらく黙《だま》りこくっていたが、いきなりそう言った。「もう遅《おそ》いからな……。また明日、来ればいいさ」

漁場を離《はな》れようとしたとき、右側にもうひとつ、もっと小さな樽が見えた。水面に縦《たて》に浮《う》かんで、独楽《こま》みたいにくるくるとまわっている。こうなったら、網《あみ》や仕掛け籠なんかどうでもいい。そんなもの、もはや問題外だった。西風号は小さな樽を追いかけ、難《なん》なく拾いあげた。

その間、同じような出来事がクジラ号にも起きていた。ルージェは五つの仕掛け籠をあげたものの、どれも空っぽだった。そのとき見張《みは》り役のデルファンが、なにか見えたぞと叫《さけ》んだ。やけに細長いところからして、どうやら樽ではなさそうだ。

「梁《はり》じゃないか」とファスが言った。

ルージェは引きあげかけた六つめの仕掛け籠を、途中《とちゅう》でさっさと海中に戻した。

「ともかく見に行こう」

船を進めるにつれ、だんだんと形がはっきりしてきた。板切れのようにも、箱のようにも、木の幹《みき》のようにも見える。やがて三人は歓声《かんせい》をあげた。それは正真正銘《しょうしんしょうめい》、樽には違《ちが》いないが、今まで見たこともないような、奇妙《きみょう》な形をしていた。真ん中が膨《ふく》らみ、上下の端《はし》を石膏《せっこう》で固めたパイプみたいだ。

「いやはや、けったいな樽じゃねえか」ルージェは大喜びで言った。「こいつはぜひとも皇帝《こうてい》に味見してもらわねばな……。さあ、引き返すぞ」

手をつけずに持ち帰ろうということで、三人意見が一致《いっち》した。クジラ号がコックヴィルに着いたとき、脇《わき》では西風号を港につないでいるところだった。村人たちは興味津々《きょうみしんしん》で、誰《だれ》ひとり浜《はま》を離《はな》れようとはしない。樽《たる》が三つという思いがけない大漁に、あっちからもこっちからも喜びの声があがった。子供《こども》たちは帽子《ぼうし》を宙《ちゅう》に放り投げ、女たちはグラスを取りに走った。この場でさっそく味見をしようということになった。漂流物《ひょうりゅうぶつ》は村のものだ。異議《いぎ》を唱える者は誰もいなかった。ただ村人たちはふた手に分かれ、マエ家はルージェを取り囲み、フロッシュ家はラ・クーから離れようとしなかったけれど。

「皇帝《こうてい》、最初の一杯《いっぱい》はあんたからどうぞ」とルージェが言った。「何の酒だか教えてくださいな」

きれいな黄金色をしたリキュールだった。農村保安官《ほあんかん》はグラスを掲《かか》げて色をたしかめ、香《かお》りを嗅《か》ぐと、意を決して口に含《ふく》んだ。

「オランダ産だな」と彼《かれ》は、長い沈黙《ちんもく》のあとに言った。

それ以外、説明はなかった。マエ家の人々《ひとびと》は皆《みな》、うやうやしく飲み始めた。こころもち濃厚《のうこう》な口あたりだった。花のような味わいに、一同びっくりしていた。女たちはとてもおいしいと思ったが、男たちはもう少し辛口《からくち》が好みだった。それでも、三杯《ばい》、四杯と続けるうち、酔《よ》いがまわってくる。飲めば飲むほどおいしかった。男たちは浮《う》かれ出し、女たちはおかしな気分になった。

皇帝は村長と口論《こうろん》になったばかりだというのに、いつの間にかフロッシュ家のグループに混《ま》ざっていた。大きいほうの樽には深紅《しんく》のリキュールが入っていたが、小さいほうからは岩清水のように澄《す》んだリキュールが出てきた。ホワイトブランデーかなにかだろうか、舌《した》がひりひりするほど強かった。赤だろうが白だろうが、フロッシュ家の人間は誰ひとり、こんな酒を飲んだことがなかった。いったい何の酒なんだか、わけもわからず飲んでもなあなどと、利《き》いた風な口をたたくやつもいた。

「どうだね、おまえさんも味見をしてみないか」とうとうラ・クーは、そう、皇帝に声をかけ、歩みよりの姿勢《しせい》を見せた。

皇帝は待ってましたとばかりに、またしても目利きを気取った。そして赤をひと口飲むと、もったいをつけて言った。

「オレンジが入っていますな」

白については、こう評《ひょう》しただけだった。

「こいつは極上だ」

この答えでよしとせねばならなかった。というのも皇帝《こうてい》はしたり顔でうなずき、これでみんなも納得《なっとく》しただろうと、満足げな表情《ひょうじょう》を浮《う》かべていたから。

けれどもひとりラディゲ神父だけは、まだ釈然《しゃくぜん》としないようすだった。どうしても名前をはっきりさせたい。本人の弁《べん》によれば、もう舌《した》の先まで出かかっているのだそうだ。きちんと思い出そうと、彼《かれ》はちびちび杯《さかずき》を重ねながらこう繰《く》り返した。

「ちょっと待ってくだされ。わかっているんだが……。あと少しでお教えできるでしょうよ」

そうこうするあいだにも、マエ家のグループ、フロッシュ家のグループとも陽気に騒《さわ》ぎ出した。とりわけフロッシュ家は、大きな笑い声をあげた。二種類のリキュールをちゃんぽんに飲んだので、酔《よ》いがまわるのも早かったから。両家は離《はな》れて固まったまま、互《たが》いの樽《たる》をふるまおうとはしなかった。それでもときおりちらちらと、親しげな視線《しせん》を投げかけることはあった。隣《となり》の樽は、もっとおいしいに違《ちが》いない。あっちも味わってみたいものだと、密《ひそ》かに願いながら。いつもは仲の悪いチュパンとファスの兄弟が、その晩《ばん》は拳《こぶし》をふりあげることなく、ずっと並《なら》んで腰《こし》かけていた。ルージェと彼の女房《にょうぼう》も、ひとつカップで飲んでいる。マルゴはフロッシュ家の人々《ひとびと》に、お酌《しゃく》をしてまわった。勢《いきお》いあまってあふれたお酒が指につくと、そのたび彼女《かのじょ》はぺろぺろなめた。飲んではいかんという父親の言いつけは守っていたものの、いつのまにかブドウ摘《つ》みの娘《むすめ》みたいに酔っぱらってしまった。ほろ酔いの彼女も、なかなか悪くなかった。顔はほんのりバラ色に染《そ》まり、目はきらきらと輝《かがや》いている。

日が暮《く》れ始めた。春のように穏《おだ》やかな晩だった。樽をすべて空けたあとも、みんな夕食に戻《もど》ろうとはしなかった。浜辺《はまべ》はとても気持ちがよかった。あたりが真っ暗になると、皆《みな》から離れてすわっていたマルゴは、首筋《くびすじ》に息が吹《ふ》きかかるのを感じた。

デルファンがふざけて狼《おおかみ》みたいに四つんばいになり、背後《はいご》に忍《しの》び寄《よ》ってきたのだ。マルゴは叫《さけ》び声を抑《おさ》えた。父親が目を覚ましたら、デルファンの尻《しり》をけとばすだろう。「馬鹿《ばか》なことしてないで、あっちへ行って。つかまるわよ」マルゴは腹立《はらだ》たしいやら、おかしいやらだった。

4

翌日《よくじつ》、コックヴィル村が目覚めたとき、太陽はすでに水平線のうえ高くまであがっていた。昨日にも増《ま》して気持ちのいい天気だ。澄《す》みきった空の下に、穏《おだ》やかな海が広がっている。こんなぽかぽか陽気の日には、なにもしないに限《かぎ》る。今日は水曜日。村人たちは宴《うたげ》の疲《つか》れをゆっくりいやして昼食をすませると、ようすを見に浜《はま》におりた。

漁のことも、デュフー未亡人《みぼうじん》やムシェルのことも、すっかり忘《わす》れていた。ラ・クーもルージェも、仕掛《しか》け籠《かご》を見にいこうなんて口にもしなかった。三時ごろ、樽《たる》が見えた。村の真正面に四つ、ぷかぷかと浮《う》いている。西風号とクジラ号は、さっそく回収《かいしゅう》にかかった。けれども今度は全員分たっぷりあるので、奪《うば》い合いにはならなかった。それぞれが、自分の分け前を取ればいい。

午後六時、ルージェとラ・クーは小さな湾《わん》のなかをくまなく探《さが》しまわり、樽を三つずつ持って帰還《きかん》した。こうして、また宴会《えんかい》が始まった。女たちは便利がいいように、テーブルを運んできた。ついでにベンチまで持ち出して、グランポールにあるような屋外カフェがふたつできた。マエ家は左、フロッシュ家は右。小さな砂山《すなやま》があいだを隔《へだ》てている。けれどもその晩《ばん》、皇帝《こうてい》はあっちのグループ、こっちのグループと行ったり来たりし、みんなが六つの樽をすべて味わえるよう、満たしたグラスを運んでまわった。九時ごろ、宴は昨晩《さくばん》以上に陽気に盛《も》りあがった。どうやって床《とこ》に就《つ》いたのか、翌日まるで覚えていないほどだった。

木曜日、西風号とクジラ号は四個《こ》しか樽を見つけられなかった。おのおの、二個ずつだが、それでもたっぷり楽しめた。金曜日は、願ってもないほどの大漁だった。ルージェが三個《こ》、ラ・クーが四個、全部で七個だ。コックヴィルは黄金時代に入った。もう、仕事なんかしてられない。漁師《りょうし》たちは前夜の酔《よ》いを醒《さ》まして昼まで眠《ねむ》りこけ、それから浜《はま》におりてうろうろ歩きまわり、海に目を凝《こ》らす。今日はいったいどんな酒を、潮《しお》は運んでくるだろうか？　気になるのは、そのことだけだった。彼《かれ》らは何時間も浜にたたずみ、じっと海に目をむけた。そして漂流物《ひょうりゅうぶつ》が見えるや、歓《かん》声《せい》をあげるのだった。波にもまれた海藻《かいそう》の塊《かたまり》がちらりとでも見えたら、女や子供《こども》が岩のうえから手足を降《ふ》って知らせる。西風号とクジラ号は、いつでも船出の準備《じゅんび》ができていた。港を出て、湾《わん》のなかを探《さが》しまわり、マグロをとるように樽《たる》を集める。鯖《さば》や舌平目《したびらめ》なんか、眼中《がんちゅう》になかった。おかげで鯖は太陽の下を涼《すず》しい顔で跳《は》ねまわり、舌平目は水面《みなも》をのんびり泳いでいた。村人たちは大笑いしながら、漁のようすを浜から眺《なが》めた。そして夜には、漁の成果を飲みまくるのだった。

樽はいっこうに尽《つ》きる気配がなく、コックヴィル村は大喜びだった。もうなくなったかと思うと、またあらわれる。難破《なんぱ》した船は、さぞかしたくさんの積み荷を運んでいたのだろう。村民たちは自分たちの楽しみで頭がいっぱいになっていたので、この哀《あわ》れな難破船《なんぱせん》を冗談《じょうだん》のタネにした。こりゃ、正真正銘《しょうしんしょうめい》の酒蔵《さかぐら》だな。海の魚がみんな酔っぱらうくらい、あったんじゃないか。おまけに拾いあげた樽は、どれもこれも違《ちが》っていた。形も大きさも色も、同じものはひとつとしてない。しかもそれぞれの樽には、すべて異《こと》なる酒が入っていた。そんなわけで皇帝《こうてい》は、すっかり考えこんでしまった。あらゆる酒を飲みつくしたという彼でさえ、さっぱり見当がつかなかった。ラ・クーも、こんな積み荷は見たことがなかった。これはどこか未開国の王様が、酒蔵をいっぱいにするために注文した品だろうというのが、ラディゲ神父の見立てだった。けれどもコックヴィルの村人たちは、名も知れない酒の酔い心地にただ身をゆだねていれば、もうそれでよかった。

女たちの好みは、甘口《あまくち》のリキュールだった。モカ、カカオ、ミント、バニラといろんな味がある。ある晩《ばん》、ルージェの女房《にょうぼう》マリはアニス酒を飲みすぎて、気持ちが悪くなるほどだった。マルゴたち若《わか》い娘《むすめ》はキュラソー、ベネディクティン、トラピスチン、シャルトルーズといった、果物の皮や香草《こうそう》、薬草の入ったリキュールをたらふく飲んだ。カシスは子供《こども》たちにまわされた。コニャックやラム、ジンといった、舌《した》がしびれるような強い酒があがると、もちろん男たちは大喜びだった。さらに驚《おどろ》きが続いた。キオス島の乳香《にゅうこう》入りラキ酒の樽《たる》には、みんな唖然《あぜん》とした。はじめはてっきりテレピン油の樽だろうと思ったくらいだ。もしなにかの酒だったら無駄《むだ》にはできないと、いちおう飲んでみることにした。そのおいしいことと言ったら、のちのちまで語り草になった。バタヴィアのアラキ酒、スウェーデンのクミン入りブランデー、ルーマニアやセルビアのプラム・ブランデーなど、お酒というもののとらえ方をまさに一変させた。キュンメルとかキルシュとか、水みたいに澄《す》んでいるくせして死ぬほど強い酒に、村人たちは目がなかった。こんなにおいしい飲み物を、よくもまあいくつも作り出せたものだ。コックヴィルで知られていたのは、せいぜい地酒の蒸留酒《じょうりゅうしゅ》くらいだった。それだって、みんなが飲んでいたわけじゃない。かくして想像力は限りなく広がり、ついには崇敬の念にまで至った。人を酔わせる液《えき》体《たい》が、飲みつくせぬほどいく種類もあるとは、なんてすごいことなんだろうと。ああ、毎晩《まいばん》、名も知れない新しい酒で酔い続けるんだ！　まるでおとぎ話みたいじゃないか。不可思議《ふかしぎ》な飲み物が雨のように降《ふ》り注ぎ、泉《いずみ》のように湧《わ》いてくる。ありとあらゆる草花や果実で香《かお》りづけした、ありとあらゆる蒸留酒が。

こうして金曜日の晩《ばん》、七個《こ》の樽が浜辺《はまべ》に並《なら》んだ。村人たちはもう、ずっと浜《はま》を離《はな》れなかった。穏《おだ》やかな天候のおかげで、野外でも寝泊《ねと》まりができた。かつてないほどすばらしい、九月の一週間だった。宴《うたげ》は月曜から続いているのだから、これからもずっと続かないわけがない。神の恵《めぐ》みで、樽が集まる限りは。というのもラディゲ神父の話によれば、これぞ神様のなせる業《わざ》らしい。仕事はすべてあとまわしだった。寝《ね》ているあいだに楽しみがやって来るのに、汗水《あせみず》たらして働くことはない。みんながみんな、ブルジョワ暮《ぐ》らしだった。高価《こうか》なリキュールをたらふく飲んでも、店に一文《いちもん》も払《はら》わなくていい。ポケットに手を突《つ》っこんだまま明るい太陽を満喫《まんきつ》し、あとは夜の楽しみを待つだけだ。そもそも、もう酔《よ》いを醒《さ》ます間もなかった。キュンメル、キルシュ、ラタフィアの陽気な酔い心地が、途切《とぎ》れることなく続く。五日間でジンの強烈《きょうれつ》さもキュラソーのまろやかさも、はたまたコニャックのにこやかさも知った。コックヴィルの村は生まれたばかりの赤ん坊《ぼう》みたいに、ひたすら純真無《じゅんしんむ》垢《く》だった。余計《よけい》なことは考えず、神様が与《あた》えてくれるものをただ素直《すなお》に味わっている。

マエ家とフロッシュ家が和解《わかい》したのは、金曜日のことだった。その晩《ばん》は、ことのほか盛《も》りあがった。すでに前日から、距離《きょり》は縮《ちぢ》まっていた。ぐでんぐでんに酔っぱらった者たちが、ふたつのグループを隔《へだ》てる砂山《すなやま》によじのぼった。あと一歩、踏《ふ》み出すだけだ。フロッシュ家のほうでは、四個《こ》の樽《たる》が空こうとしていた。マエ家でも、三つの小さな樽を飲み終えるところだった。フランス国旗と同じ、青、白、赤のリキュールだ。フロッシュ家は青を見て、嫉妬《しっと》でいっぱいになった。青いリキュールなんて、なんとも驚《おどろ》くべきしろものだと思ったから。酔っぱらってばかりのラ・クーはすっかり丸くなったのか、グラス片手《かたて》に歩み出した。村長として、われこそ最初の一歩を踏み出すべきだとわかっていたのだ。

「どうだ、ルージェ、乾杯《かんぱい》しようじゃないか」ラ・クーはろれつのまわらない口で言った。

「いいとも」とルージェは答えた。感動でいまにも倒《たお》れそうだった。

そしてふたりは、互《たが》いの首ったまにかじりついた。みんなも感きわまって、泣き始めた。三世紀にわたりいがみ合っていたマエ家とフロッシュ家が抱《だ》き合ったのだ。ラディゲ神父も胸《むね》をじんとさせ、これぞ神様のなせる業《わざ》だと、またしても重々《おもおも》しく宣言《せんげん》した。こうしてみんな、青、白、赤のリキュールで乾杯したのだった。

「フランス万歳《ばんざい》！」と皇帝《こうてい》は叫《さけ》んだ。

青はまるでだめだった。白も大したことはない。けれども赤は、まさに絶品《ぜっぴん》だった。次はフロッシュ家の樽にかかる番だった。やがてみんな、踊《おど》り始めた。音楽がないので、少年たちが率先《そっせん》して手をたたき、口笛を鳴らした。すると少女たちも立ちあがった。宴《えん》、たけなわだった。七個《こ》の樽《たる》が、一列に並《なら》んでいる。それぞれ好みの酒を選べるようにと。思う存分《ぞんぶん》飲み終えた者は砂《すな》のうえに横たわり、高いびきをかいていた。しばらく眠《ねむ》って目を覚ますと、また飲み始める。ダンスの輪は少しずつ大きくなり、やがて海岸中に広がった。夜中まで、星空の下で跳《は》ねまわった。海は穏《おだ》やかな波音を立て、満点の星が静かに輝《かがや》いていた。それは初めてブランデーの樽を空け、ほろ酔《よ》い気分で浮《う》かれる人々を包みこむ、子供《こども》時代の静けさだった。

それでも村人たちは、家に戻《もど》って寝《ね》ることにした。飲むものはもうなにもない。フロッシュ家とマエ家は助け合い支《ささ》え合って、とにもかくにもベッドにたどり着いた。土曜日、宴会《えんかい》は夜中の二時まで続いた。六つの樽を引きあげ、そのうちふたつはとても大きかった。ファスとチュパンは危《あや》うく殴《なぐ》り合いを始めるところだった。怒《おこ》り上戸《じょうご》のチュパンは、兄と決着をつけると息巻《いきま》いた。けれどもそんな大騒《さわ》ぎに、フロッシュ家もマエ家もうんざり顔だった。村中が手を握《にぎ》り合ったあとだというのに、喧嘩《けんか》なんかしてなんになる？　いくらふたりに乾杯《かんぱい》をさせようとしても、嫌《いや》だと言ってきかなかった。しかたない、おれがよく見張《みは》っていよう、と皇帝《こうてい》は思った。ルージェと女房《にょうぼう》のマリのあいだにも、険悪《けんあく》な雰囲気《ふんいき》が漂《ただよ》っていた。アニス酒でいい気持ちになったマリが、ブリズモットにやたらと愛想をふりまくものだから、ルージェは心中穏やかではいられなかった。少しはおれにもやさしくしろよと、かりかりしていたときだけになおさらだった。寛容《かんよう》の精神《せいしん》に満ちあふれたラディゲ神父は、どんな悪口を言われても大目にみるようにと説いた。いつなんどきひと騒動《そうどう》持ちあがるかと、みんな心配だったのだ。

「いやなに、すべてうまく収《おさ》まるさ」とラ・クーは言った。「明日も大漁なら、それで……。ともかく、健康を祝して乾杯だ」

そうは言ってもラ・クー自身、まだ修養《しゅうよう》が足りなかったらしい。彼《かれ》は終始デルファンに目を光らせていた。そしてこの若造《わかぞう》が娘《むすめ》に近づこうとするや、蹴《け》りを入れるのだった。それを見て皇帝は、若《わか》いふたりが笑い合うのをじゃましちゃいかん、と憤慨《ふんがい》した。けれどもラ・クーは、耳を貸《か》そうとしなかった。あんな奴《やつ》に娘をやるくらいなら、この手で殺したほうがましだ、だいいち、マルゴもそう思っているはずだ、と言って。

「そうだろ？　おまえはプライドが高すぎるくらいだからな。あんなろくでなしと結婚《けっこん》なんかするものか」

「ええ、しないわ、パパ」とマルゴは答えた。

土曜日、マルゴは甘《あま》いリキュールをたっぷり飲んだ。こんなに甘くておいしいお酒があるなんて、思ってもみなかった。マルゴは気がゆるんで、いつのまにか樽《たる》のすぐ脇《わき》にいた。まるで天にのぼるような心持ちだった。なんだか楽しくなって、思わずけらけらと笑い出した。そこかしこで星が瞬《またた》き、体のなかからダンス音楽が響《ひび》いてくるような気がした。そのときデルファンが、樽の陰《かげ》にさっと身を隠《かく》した。彼《かれ》はマルゴの手を取り、こうたずねた。

「ねえ、マルゴ、どう？」

マルゴはあいかわらず微笑《ほほえ》みながら、こう答えた。

「パパが許《ゆる》してくれないわ」

「かまわないさ」とデルファンは続けた。「年寄《としよ》り連中は、なんだってだめって言うんだ……。でも、きみさえよければ」

彼《かれ》はどんどん大胆《だいたん》になり、マルゴのうなじにキスをした。マルゴは思わずのけぞった。肩《かた》のあたりに沿《そ》って、ぞくぞくと震《ふる》えが走った。

「やめて、くすぐったいわ」

けれどもマルゴはもう、平手打ちを食らわせるとは言わなかった。そもそも平手打ちなんか、できそうになかった。両手から力が抜《ぬ》けてしまったし、うなじにキスされるのは気持ちよかったから。甘《あま》いけだるさで体を包むリキュールのようだ。彼《かの》女《じょ》はうしろをふり返り、雌猫《めすねこ》みたいにあごを突《つ》き出した。

「ねえ、そこ」と彼女は口ごもるように言った。「耳の下がむずむずして……。ああ、とってもいい感じ」

ふたりはラ・クーのことなど忘《わす》れていた。さいわい、皇帝《こうてい》がそのようすをうかがっていた。彼《かれ》はラディゲ神父に注意をうながした。

「ごらんなさい、神父……。あのふたりは結婚《けっこん》させたほうがよさそうだ」

「風紀の勝利というところだな」と神父はもったいぶって答えた。

この件《けん》は神父が引き受け、翌日《よくじつ》、彼の口からラ・クーに話すことになった。そうこうするあいだにラ・クーはすっかり飲みすぎてしまい、皇帝《こうてい》と神父で家に連れ帰らねばならなかった。途中《とちゅう》、娘《むすめ》のマルゴについて意見したものの、ラ・クーはただうなり声をあげただけだった。そのうしろからデルファンが、ほんのり明るい夜のなか、マルゴを送ってついてくる。

翌日の午後四時、西風号とクジラ号はすでに七個《こ》の樽《たる》を確保《かくほ》していた。午後六時、西風号はさらに二個見つけた。合計九個。こうしてコックヴィルは日曜日を祝った。ほろ酔《よ》いの毎日が続いてもう七日目、空前絶後《くうぜんぜつご》の大宴会《えんかい》だ。バス＝ノルマンディ地方でこの話をしてみるといい。きっと相手は笑いながら、「ああ、コックヴィル村の酒盛《さかも》りね」と答えることだろう。

5

その間、すでに火曜日から、仲買人のムシェルはいぶかしんでいた。どうしてルージェもラ・クーも、グランポールに顔を見せないのだろう？　あのふたり、いったい何をしているんだ？　海は穏《おだ》やかで、漁も順調なはずなのに。舌平目《したびらめ》や大海老を、まとめていっきに持ってこようとしているのかもしれない。ともかく水曜日まで待つことにしよう。

水曜日になると、ムシェルは腹《はら》が立ってきた。デュフー未亡人《みぼうじん》は気難《きむずか》し屋で、少しでも意に沿《そ》わないことがあれば、すぐに口汚《くちぎたな》く罵《ののし》るような女だ。ムシェルはたくましい、金髪《きんぱつ》の美丈夫《びじょうぶ》だったけれど、彼女《かのじょ》の前ではびくびくしていた。いつか亭主《ていしゅ》の座《ざ》にすわろうと思っていただけに、できるだけ怒《おこ》らせないようにと細やかな気遣《きづか》いも忘《わす》れなかった。なに、いつかおれがご主人様になったら、そんときゃ平手打ちで黙《だま》らせるさ。水曜日の朝、そのデュフー未亡人が不平がましくわめき出した。荷がちっとも入ってこず、海産物が足りなくなっているといって。鱈《たら》や鯖《さば》はたっぷりとれているはずなのに、どうせおまえは海岸で若《わか》い娘《むすめ》の尻《しり》でも追いかけているんだろうと、ムシェルを責《せ》めたてるのだった。ムシェルはむっとしたものの、なぜかコックヴィルから音沙汰《おとさた》がないのだと説明するのが精一杯《せいいっぱい》だった。デュフー未亡人《みぼうじん》も驚《おどろ》いて、一瞬怒《いっしゅんいか》りを鎮《しず》めた。コックヴィル村の連中は、どういうつもりなんだろう？今までこんなことは、一度もなかったのに。けれども、すぐに彼女《かのじょ》は言い放った。「コックヴィル村がどうしたかなんて、知ったことじゃないわ。あんたに注意してるのよ。漁師《りょうし》たちにいつまでも一杯《いっぱい》食わされてるなら、あたしにも考えがあるからね」と。ムシェルは不安に駆《か》られながらも、ルージェやラ・クーのことは頭から追い払《はら》った。きっと明日にはやって来るさ。

翌《よく》木曜日も、結局ふたりはあらわれなかった。がっかりしたムシェルは夕方近く、グランポールの左にある岩山にのぼった。そこから遥《はる》か遠くに、コックヴィルの村と黄色い砂浜《すなはま》が望めるのだ。彼《かれ》はしばらくじっと眺《なが》めていた。村は太陽の日差しを受け、いつもと変わらないようすだった。煙突《えんとつ》から細く煙《けむり》が立っているのは、女たちがスープを作ってるからだろう。コックヴィル村は消えてなくなったわけでも、崖《がけ》くずれで岩に押《お》しつぶされたわけでもない。だとすると、ムシェルはいっそうわけがわからなかった。岩山をくだる途中《とちゅう》、入り江《え》に黒い点がふたつ見えたような気がした。クジラ号と西風号だな。よし、戻《もど》ってデュフー未亡人を安心させよう。コックヴィル村はちゃんと漁に出ているからと。

夜が明けて、金曜日になった。あいかわらずコックヴィル村からは誰《だれ》もやって来ない。ムシェルは十回以上も岩山にのぼった。もう、頭がどうにかなりそうだった。デュフー未亡人にさんざん絞《しぼ》られても、なにひとつ言い返せなかった。コックヴィル村はちゃんとそこにある。日向ぼっこをするトカゲみたいに、のんびり日差しを浴びている。ただ、もう煙が立っていないことにムシェルは気づいた。まるで村は死んでしまったかのようだ。もしかして、村人全員がひっそり息絶《た》えているのではないか？　浜辺《はまべ》にひしめく人影《ひとかげ》のように見えるのは、波に打ち寄《よ》せられた海藻《かいそう》かもしれない。

土曜日も、やはり音沙汰《おとさた》なしだった。デュフー未亡人《みぼうじん》は、もう叫《さけ》ぶ気力もなくしていた。目がすわり、唇《くちびる》は真っ青だ。ムシェルは岩山のうえで二時間もねばった。好奇心《こうきしん》が、彼《かれ》のなかでむくむくと頭をもたげた。村が突然《とつぜん》、活動をやめてしまうなんておかしいじゃないか。そのわけを、どうしても突《つ》きとめたかった。明るい太陽の光を受け、静かにまどろむボロ家の群《む》れを見ていると、しまいにはむかっ腹《ぱら》が立ってきた。よし、決めた。月曜日にようすを見に行こう。早朝に出発すれば、九時ごろにはむこうに着ける。

けれども、コックヴィル村へ行くのはひと仕事だ。できれば不意打ちを食らわせたかったので、ムシェルは陸路をたどることにした。馬車で行くのはロビニューまでにした。峡谷《きょうこく》を馬車で抜《ぬ》けるのは危険《きけん》すぎるから。ロビニューで馬車を納屋《なや》にしまうと、彼は元気よく出発した。険《けわ》しい山道を、七キロ近くも歩かねばならない。道中、いたるところ自然の美しさに溢《あふ》れていた。巨大《きょだい》な岩のあいだを、道はくねくねと曲がりながら下っていく。場所によっては、ひと三人分の幅《はば》もないほど狭《せま》かった。その先は、断崖絶壁《だんがいぜっぺき》に沿《そ》って道が続いた。突然、峡谷がひらけると、岩の切れ目から青い海と広大な水平線が見渡《みわた》せた。しかしムシェルは、景色を楽しんでいる気分ではなかった。踵《かかと》の下で小石が弾《はじ》けると、彼は悪態《あくたい》をついた。そうこうするうちに、目的地が近づいてきた。最後の岩山を曲がると、村が忽然《こつぜん》と姿《すがた》をあらわした。断崖の中腹《ちゅうふく》に、二十軒《けん》ほどの家が散らばっている。

ちょうど九時になったところだった。空は青く暖《あたた》かで、六月かと思うほどだ。すばらしい天気、澄《す》みきった空気。宙《ちゅう》を舞《ま》う埃《ほこり》が太陽の光にきらきらと金色に輝《かがや》き、あたりには潮《しお》の香《かお》りが漂《ただよ》っている。ムシェルは村へと続く一本道へむかった。ここへは何度も来たことがある。ルージェの家の前までさしかかると、なかに入ってみた。ところが、家には誰《だれ》もいなかった。ファスの家やチュパンの家、ブリズモットの家ものぞいてみたけれど、やっぱり空っぽだった。ドアはあけっぱなしなのに、人っ子ひとりいない。いったいどういうことなんだ？　ムシェルはぞっとして、少し鳥肌《とりはだ》が立った。それなら役人のところにいってみよう。皇帝《こうてい》さんなら、きっと事《じ》情《じょう》を説明してくれるはずだ。ところが皇帝の家も、やっぱりもぬけの殻《から》だった。農村保安官《ほあんかん》までいなくなってしまうなんて！　静まり返った無人の村が、彼《かれ》は恐《おそ》ろしくなってきた。急いで村長の家に駆《か》けつけると、そこにはさらなる驚《おどろ》きが待ちかまえていた。家のなかはもうめちゃくちゃだった。ベッドは三日も前から整えていないようだ。汚《よご》れた食器が山積みになり、ひっくり返った椅子《いす》は乱闘《らんとう》のあとを思わせる。きっとなにか、大変なことが起きたのだ。ムシェルは動転しながらも、最後まで調べようと教会にむかった。村長だけでなく、司祭まで消え失せるなんて。コックヴィル村は見捨《みす》てられ、ただ静かに眠《ねむ》っている。犬一匹《ぴき》、猫《ねこ》一匹いやしない。あひるやにわとりまで、どこかに行ってしまった。広大な青空の下に、空っぽの家と静寂《せいじゃく》、深い眠りだけを残して。

　なんてこった！　コックヴィル村が獲物《えもの》を運んでこないからって、驚くにはあたらない。村は引っ越《こ》してしまった、村は死んでしまったのだから。警察《けいさつ》に知らせなくては。こんな謎《なぞ》めいた大事件《じけん》に、ムシェルは胸《むね》を高ぶらせた。それからふと思いつき、浜辺《はまべ》におりてみた彼は、あっと叫《さけ》んだ。なんと村人たちが、そろって砂浜《すなはま》に横たわっているではないか。初めは皆殺《みなごろ》しにされたのかと思った。しかしぐうぐうというびきが聞こえ、眠っているだけだとわかった。日曜日の晩《ばん》、宴《うたげ》は遅《おそ》くまで続いたので、家に帰る余力《よりょく》は残っていなかった。そして酔《よ》いつぶれたまま、砂《すな》のうえで眠ってしまったのだ。飲み干《ほ》した九つの酒樽《さかだる》を囲んで。

そう、村中の人々《ひとびと》が、そこでいびきをかいていた。老若男女《ろうにゃくなんにょ》、全員が。起きている者はひとりもいない。うつ伏《ぶ》せになったり、あおむけになったり、あるいは体を丸めたり、みんなわが寝床《ねどこ》と定めた場所で、思い思いに寝《ね》そべっている。大の男が夢見《ゆめみ》ごこちで、あっちにもこっちにもひっくり返っていた。そのようすは、風に運ばれたひと握《にぎ》りの落ち葉のようだ。足を上、頭を下にして寝ている男もいる。お尻《しり》をまる出しにした女もいる。お体裁《ていさい》など気にしない野外共同寝室《しんしつ》か、気楽にくつろぐ純朴《じゅんぼく》な家庭生活のひとこまといったところだ。気兼《きが》ねなんかしていたら、楽しめやしないさ、と。

ちょうど昨晩《さくばん》は新月にあたっていた。村人たちはローソクの火を吹《ふ》き消すように、真っ暗闇《くらやみ》に身をゆだねた。やがて夜が明け、太陽が真上からぎらぎらと照りつけても、みんな瞬《まばた》きもせずに眠《ねむ》りこけていた。どの寝顔《ねがお》も、無心に酔《よ》いを楽しむ喜びに輝《かがや》いている。にわとりまで酔っぱらい、砂《すな》のうえにすわりこんでいるところを見ると、きっと朝早くやって来て、樽《たる》をつついたのだろう。五匹《ひき》の猫《ねこ》と三匹の犬も、甘《あま》いリキュールがこびりついたグラスをなめ、酔っぱらって大の字に寝《ね》ころがっていた。

ムシェルは眠っている人々《ひとびと》のあいだを、踏《ふ》みつけないように気をつけながらしばらく歩いた。事情《じじょう》はとうに察しがついていた。難破《なんぱ》したイギリス船から、グランポールにも樽がいくつか流れついていたから。怒《いか》りはすっかり収《おさ》まっていた。なんて心温まる、感動的な光景だろう！　コックヴィル村のいがみ合いがついに終わりを告げ、マエ家とフロッシュ家が仲よく寝そべっているとは。最後の一杯《いっぱい》を空けると、長年の仇同士《かたき》が抱《だ》き合ったのだ。チュパンとファスも手と手をつないで、いびきをかいている。これからは血を分けた兄弟、遺産《いさん》争いをすることもないだろう。ルージェの夫婦《ふうふ》はといえば、さらに微笑《ほほえ》ましい一幅《いっぷく》の絵を描《か》いていた。マリがルージェとブリズモットのあいだで、すやすやと眠っている。こうして三人は末長く、しあわせに暮《く》らすのだとでも言いたげに。

けれども、とりわけ感動的な家族の一場面を演《えん》じているのは、デルファンとマルゴだった。ふたりは頰《ほほ》と頰を寄《よ》せ、しっかり抱き合い眠っていた。口づけの名残りか、まだわずかに唇《くちびる》をゆるませて。その足もとには皇帝《こうてい》が斜《なな》めに寝そべり、ふたりを守っていた。頭の側ではラ・クーが、娘《むすめ》を嫁《よめ》に出した父親の満足感に浸《ひた》って、いびきをかいている。ラディゲ神父も、みんなと同じく酔いつぶれていた。両手を広げたその寝姿《ねすがた》は、まるでふたりを祝しているかのようだ。マルゴは眠りながらも、バラ色の鼻先を前に突《つ》き出していた。喉《のど》を撫《な》でてもらいたがる、かわいらしい雌猫《めす》のように。

こうして宴《うたげ》は、若《わか》いふたりの結婚《けっこん》で終わった。

しばらくしてムシェルもデュフー未亡人《みぼうじん》と結婚し、亭主関白《ていしゅ》を実践《じっせん》することとなった。

バス＝ノルマンディ地方でこの話をしてみるといい。きっと相手は笑いながら、

「ああ、コックヴィル村の酒盛《さかも》りね」と答えることだろう。

訳者あとがき

エミール・ゾラは、フローベールやモーパッサンなどと並《なら》んで、十九世紀後半のフランス文学を代表する作家のひとりです。土木技師《ぎし》だった父親を七歳《さい》のときに亡《な》くし、貧《まず》しい幼少年期《ようしょうねん》を送りました。大学入学資格《しかく》試験に失敗して進学をあきらめ、出版社《しゅっぱんしゃ》で働き始めましたが、文学で身を立てることを志《こころざ》して創作《そうさく》を続けます。そして二十四歳のとき、最初の著書《ちょしょ》である短編集《たんぺんしゅう》『ニノンへのコント』を出版《しゅっぱん》しました。本書に収録《しゅうろく》した「血」は、そのなかの一篇《ぺん》です。

二十六歳で出版社を退社《たいしゃ》し、本格《ほんかく》的な執筆《しっぴつ》活動に入ったゾラは、やがて「ルーゴン＝マッカール叢書《そうしょ》」という壮大《そうだい》な作品群《さくひんぐん》の構想《こうそう》に乗り出します。これはルーゴンとマッカールという二つの家系《かけい》から生まれた子孫が、十九世紀後半のフランス社会におけるさまざまな階層《かいそう》でたどる運命を描《えが》いた長編《ちょうへん》連作集です。ゾラは二十年以上をかけ、全二十作からなるこのシリーズを完結させました。そのなかには『居酒屋《いざかや》』や『ナナ』、『獣人《じゅうじん》』といった、彼《かれ》の主要な作品が含《ふく》まれています。

このように長編作家として知られているゾラですが、面白い短編《たんぺん》も数多く残しています。本書ではそのなかから、ゾラの多様な作風に触《ふ》れられる七篇を選びました。ユーモラスな話、皮肉や風刺《ふうし》の効《き》いた話、悲劇《ひげき》的な話、ホラー調の話など、どれも興味深《きょうみぶか》く読める作品ばかりです。長さもショート・ショートと言ってもいいようなものから、読みごたえのあるものまでさまざまで、ゾラが短編作家としてもすぐれた腕前《うでまえ》の持ち主だったことがよくわかるのではないでしょうか。

なかでも「恋愛結婚《れんあいけっこん》」は、のちにゾラの出世作となった長編『テレーズ・ラカン』のもとになった短編で、自らの欲望《よくぼう》に引きずられて転落していく人間の姿《すがた》を赤裸々《せきらら》に描き出した〈自然主義《しゅぎ》〉の特徴《とくちょう》がよくあらわれています。「猫《ねこ》の楽園」と「広告の犠牲者《ぎせいしゃ》」の二作はゾラが何度か書きなおしをしたため、いくつものヴァージョンがあります。『ゾラ・セレクション1 初期名作集』（藤原書店）にはもっと長い版《ばん》の翻訳《ほんやく》が入っているので、興味《きょうみ》のある方は読みくらべてみてください。「血」は前に触《ふ》れたように、本書に収《おさ》めた七篇《へん》のなかではもっとも初期の作品です。四人の兵士たちが見る血の幻想《げんそう》は、旧約聖書《きゅうやくせいしょ》の創世記《そうせいき》に描《えが》かれた楽園や、人類最初の殺人と言われるカインとアベルの物語、新約聖書のなかでキリストが磔《はりつけ》にされる場面などがもとになっています。そのようなことを知ったうえで読むと、人間が背負《せお》っている罪《つみ》の重さを訴《うった》えかけたこの作品の意味がさらに強く胸《むね》に響《ひび》いてくるでしょう。

最後になりましたが、『ルブラン ショートセレクション 怪盗《かいとう》ルパン 謎《なぞ》の旅行者』に続いて、拙訳《せつやく》に絶妙《ぜつみょう》のイラストを添《そ》えてくださったヨシタケシンスケさん、企画《きかく》協力の小宮山民人さん、大石好文さん、編集《へんしゅう》の郷内厚子さんに心から感謝《かんしゃ》いたします。

二〇一八年三月

平岡 敦

｜作者｜

エミール・ゾラ

Émile François Zola

1840年フランス・パリに生まれる。出版社で働くかたわら、初の短編集『ニノンへのコント』を刊行する。出版社退社後は文学に科学的・客観的視点を採り入れた「自然主義」を提唱。ドレフュス事件では、容疑者を弁護して懲役刑を宣告され、一時イギリスへ亡命。作品に『居酒屋』『ナナ』『ジェルミナール』『大地』をはじめとする「ルーゴン＝マッカール叢書」全２０巻などがある。1902年没。

｜訳者｜

平岡 敦

Atsushi Hiraoka

1955年千葉市に生まれる。早稲田大学文学部卒業。中央大学大学院修了。フランス文学翻訳家。『天国でまた会おう』で日本翻訳家協会特別賞を、『オペラ座の怪人』で日仏翻訳文学賞を受賞。ほかの訳書に『ルパン、最後の恋』『ルブラン ショートセレクション　怪盗ルパン 謎の旅行者』など多数。

｜画家｜

ヨシタケ シンスケ

Shinsuke Yoshitake

1973年神奈川県に生まれる。筑波大学大学院芸術研究科総合造形コース修了。『りんごかもしれない』で産経児童出版文化賞美術賞、MOE絵本屋さん大賞第一位（『なつみはなんにでもなれる』ほか本賞を四度受賞）などを、『このあとどうしちゃおう』で新風賞を受賞など。ほか作品多数。

世界ショートセレクション ❼

ゾラ ショートセレクション
猫の楽園

2018年4月　初版
2023年5月　第5刷発行

作者　エミール・ゾラ
訳者　平岡 敦
画家　ヨシタケ シンスケ
発行者　鈴木博喜
編集　郷内厚子
発行所　株式会社 理論社
〒101-0062 東京都千代田区神田駿河台2-5
電話 営業03-6264-8890 編集03-6264-8891
URL https://www.rironsha.com
デザイン　アルビレオ
印刷・製本　中央精版印刷
企画協力　小宮山民人　大石好文

ISBN978-4-652-20245-6　NDC953　B6判　19cm　223p

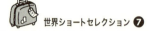